Les Cinq et le trésor de Roquépine

Les Cinq et le trésor de Roquépine

Une nouvelle aventure des personnages créés par Enid Blyton racontée par Claude Voilier.

Illustrations
Frédéric Rébéna

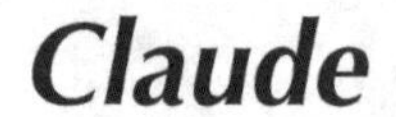

11 ans.
Leur cousine. Avec son fidèle chien Dagobert, elle est de toutes les aventures.
En vrai garçon manqué, elle est imbattable dans tous les sports et elle ne pleure jamais... ou presque !

François

12 ans
L'aîné des enfants, le plus raisonnable aussi.
Grâce à son redoutable sens de l'orientation, il peut explorer n'importe quel souterrain sans jamais se perdre !

Mick

11 ans comme Claude.
C'est un casse-cou (un gourmand aussi !) qui n'hésite jamais avant de se lancer dans les plus périlleuses aventures...

Annie

10 ans
La plus jeune, un peu gaffeuse, un peu froussarde !
Mais elle finit toujours par participer aux enquêtes, même quand il faut affronter de dangereux malfaiteurs...

Dagobert

Sans lui, le Club des Cinq ne serait rien !
C'est un compagnon hors pair, qui peut monter la garde et effrayer les bandits.
Mais surtout c'est le plus attachant des chiens...

Illustrations : Frédéric Rébéna

Hachette Livre, 43, quai de Grenelle, 75015 Paris.

chapitre 1

Le secret des Templiers

Claude et ses cousins pédalent sans trop d'ardeur sur la route blanche qui, tournant le dos à la mer, s'enfonce à l'intérieur des terres. Le soleil tape dur. Dag, malin, est le seul à profiter de la promenade sans se donner de mal : il trône, la truffe au vent, sur le porte-bagages de sa maîtresse.

— Tu sais, Claude, dit François, je suis bien content que ton père ait décidé de rester à Kernach pendant ces vacances. Cela va nous permettre de visiter la région plus à fond.

— Je me plais beaucoup aux *Mouettes*, affirme de son côté Annie. Avec tous les déplacements d'oncle Henri, il y a longtemps que nous n'y étions venus !

— C'est vrai ! renchérit Mick. Les voyages ont beau former la jeunesse, j'aime bien rester tranquille de temps à autre.

Henri Dorsel, le père de Claude, est un savant connu. Au moment des vacances, il emmène souvent sa fille et ses neveux avec lui, à l'occasion de tel ou tel congrès scientifique. Mais, cette année-là, ayant un ouvrage à écrire, il a décidé de ne pas bouger de sa villa de Kernach. Sa femme, comme les enfants, en est fort satisfaite.

— Je suis de votre avis ! déclare Claude. Moi aussi, j'aime bien profiter des agréments de la région. On peut se baigner et faire du bateau tous les jours.

— Ou encore excursionner comme aujourd'hui ! dit Mick.

— Comment s'appelle le manoir que nous allons visiter ? demande Annie. Je l'ai oublié…

— Le château de Roquépine ! répond Claude. Il s'agit d'une forteresse moyenâgeuse que je connais pour être passée devant, mais où je vais entrer pour la première fois.

— J'adore visiter les vieilles ruines ! affirme François.

— Eh bien, tu pourras t'adonner à ce genre de sport d'ici deux minutes ! annonce

Claude en sautant de sa selle. Nous voici arrivés !

Deux minutes plus tard, en effet, les Cinq, mêlés aux touristes d'un car d'excursion, emboîtent le pas au guide du château de Roquépine.

Passionnés d'histoire, François, Claude et Mick écoutent de toutes leurs oreilles. Annie, moins intéressée, d'une seule ! Quant à Dag, il n'écoute pas du tout, mais hume avec délice mille odeurs – de mulots en particulier – qui lui chatouillent agréablement les narines.

— Ce château, entreprend d'expliquer le guide, appartenait, sous Philippe le Bel, au comte Hilaire de Roquépine. Ce seigneur passait pour être détenteur d'une fortune colossale... une fortune tellement fabuleuse qu'elle défiait toute espèce d'estimation.

Une Américaine, à côté d'Annie, pousse un « Aôh ! » à la fois admiratif et respectueux. Par politesse, Dago émet un sonore « Ouah ! » en écho. Claude et ses cousins sourient. Le guide fait les gros yeux dans leur direction, puis reprend ses explications.

— J'ai bien dit : une fortune colossale ! Mais ce n'était, entre ses mains, qu'un

dépôt ! Vous avez tous entendu parler de l'ordre fameux des Templiers. Cette puissante confrérie, riche et redoutée, portait ombrage au roi de France, Philippe le Bel, qui, en octobre 1307, confisqua les biens des Templiers et fit arrêter Jacques de Molay, leur grand maître. Or, les Templiers possédaient un fabuleux trésor.

Le guide s'interrompt brusquement pour parcourir des yeux son auditoire. Au mot de « trésor », chacun s'est immobilisé et dresse l'oreille, attendant la suite…

Satisfait de son petit succès, le guide continue :

— Le pape Clément V ayant réussi à prévenir les Templiers de ce que le roi tramait contre eux, les chevaliers eurent le temps, avant d'être arrêtés, de sauver une partie de leur trésor, soit en l'enfouissant, soit en le confiant à des dépositaires sûrs. C'est ainsi que le comte de Roquépine reçut un coffre renfermant des reliques d'or, des joyaux, des pierres précieuses ainsi que des pièces d'or et d'argent. Scrupuleusement, le châtelain aurait enfoui le coffre dans une cachette connue de lui seul. Là-dessus, les Templiers furent anéantis, leurs biens dispersés et le seigneur de Roquépine mourut subitement,

toujours détenteur du trésor et emportant avec lui le secret de la cachette.

Dans la foule des touristes, un homme à la voix puissante demande :

— Et ce trésor ? On ne l'a jamais retrouvé ?

— Jamais ! affirme le guide. Et pourtant, ce n'est pas faute d'avoir cherché. Vous vous doutez que les amateurs ont été nombreux au cours des siècles !

L'homme qui a parlé est un grand blond, à l'air placide.

À côté de lui, un autre touriste, brun et maigriot, de petite taille, fait une grimace comique et donne une bourrade à son compagnon.

— Tu as posé une question idiote, mon vieux !

— Ah oui ? réagit le grand blond sans se fâcher.

— Bien sûr ! Et la réponse du guide est tout aussi stupide.

— Hé ! Dites donc ! lance le guide qui a entendu et ne semble pas trop content. Je ne vous permets pas…

— Ne vous fâchez pas ! réplique le petit brun en gloussant joyeusement. Je voulais dire par là que si quelqu'un a cherché le trésor et l'a, par hasard, déniché, il se sera sans doute bien gardé de le claironner !

Claude et ses cousins, amusés, sourient.

Le guide, un moment déconcerté, ne peut que murmurer :

— Ma foi... il y a du vrai dans ce que vous dites, monsieur !

La visite se poursuit. Le guide montre successivement aux touristes les différentes salles, plus ou moins en ruine, du château. Les enfants, qui commencent à trouver le circuit ennuyeux, n'écoutent qu'à demi.

Ils jugent plus amusant d'observer les gens qu'ils côtoient et d'échanger tout bas des réflexions. Le petit homme brun grimaçant et son paisible compagnon leur semblent tout particulièrement drôles.

— Avez-vous vu ? dit Mick. Le petit ressemble à un macaque et le grand à un bœuf !

— Curieuse paire ! fait remarquer Claude. Le brun est un véritable clown. Tiens ! Le voilà qui tire un morceau de sucre de sa poche et le donne à Dago. S'il prend mon chien par les sentiments, il va s'en faire un ami !

Claude n'ajoute pas que, du coup, l'homme lui devient sympathique. Ceux qui sont gentils pour Dagobert trouvent tout naturellement le chemin de son cœur.

Annie tire François par la manche.

— Dis donc ! Si on s'en allait ? Je commence à m'ennuyer.

— Attends un peu ! Il reste encore à visiter les souterrains.

— Je pense bien ! s'écrie Mick. C'est le plus passionnant !

Claude est de cet avis. Précisément, le guide réclame l'attention de tout le groupe :

— Et maintenant, mesdames et messieurs, annonce-t-il, nous allons descendre dans les souterrains du château. Auparavant, je vais vous distribuer des rats de cave... Par ici, s'il vous plaît...

Soudain, il aperçoit Dag qui suit Claude. Prenant celle-ci pour un garçon, il l'interpelle en ces termes :

— Jeune homme ! Veuillez tenir votre chien en laisse ! Il est interdit aux quadrupèdes de circuler ici en liberté !

— Mais pas aux serpents, alors ? lance le petit homme brun en sortant tranquillement une vipère de sa poche. Mon animal favori n'a pas de pattes, comme vous pouvez le constater. En revanche, il court ventre à terre. Gare !

L'Américaine, épouvantée, fait un bond de kangourou. Deux femmes poussent des cris d'effroi. Un homme s'apprête à assommer

le serpent à l'aide de son bâton de marche. Mick et Claude éclatent de rire.

— C'est un serpent en caoutchouc ! déclare Mick.

Les touristes se rassurent. Mais le guide est furieux.

— A-t-on idée de faire des plaisanteries d'aussi mauvais goût ! s'écrie-t-il. Et à votre âge, monsieur ! C'est tout juste bon pour un gamin comme celui-ci !

Et, du doigt, il désigne Claude qui rit encore.

— D'abord, je ne suis pas un gamin ! réplique-t-elle en passant (faute de laisse) une ficelle dans le collier de Dag. Ensuite, les blagues que je fais sont beaucoup plus drôles !

Le petit homme brun exagère son air de confusion. Il fourre le serpent en caoutchouc dans sa poche, se tord les mains d'un geste théâtral, se frappe la poitrine et s'adresse au guide sur un ton pathétique :

— Pardon, monsieur le guide ! Je ne le ferai plus !

Il est si comique que, loin de lui en vouloir de sa stupide plaisanterie, tout le monde éclate de rire. L'Américaine elle-même murmure :

— Aôh ! Ces Français ! Comme ils sont ciourieuses !

Le guide, après avoir ri comme les autres et marmonné : « Cessez donc de faire le pitre ! », reprend ses explications et invite les touristes à le suivre.

Sur ses talons, chacun, muni d'un rat de cave allumé, descend avec précaution les marches de pierre usées conduisant à une salle en sous-sol, basse, circulaire et dallée, où le guide s'arrête en attendant que tous les visiteurs fassent le cercle autour de lui. Alors, élevant son rat de cave au-dessus de sa tête, il déclare :

— Nous voici dans l'antichambre où s'amorcent les souterrains et oubliettes du château ! Je ne vous les ferai pas visiter pour la bonne raison que la plupart ont été murés, en raison du danger qu'ils présentent.

— Danger ? murmure Claude, déçue d'être privée d'un plaisir qu'elle escomptait.

— Bien sûr ! Des éboulements, jeune homme !... je veux dire, jeune fille ! Il serait extrêmement dangereux de s'y aventurer. Donc, ils ont été condamnés, sauf un...

De la main, il désigne un couloir de maçonnerie, suffisamment haut et large pour qu'un homme de taille moyenne puisse y cheminer.

Les gens se bousculent pour mieux voir.

— Sauf un ! répète-t-il. Celui-ci, qui a servi quelque temps de remise aux maçons chargés de restaurer le château ! Encore son accès est-il formellement interdit. On doit du reste le murer à son tour un jour prochain...

François, Mick et Annie sont aussi déçus que Claude. La magie du mot « souterrains » disparaît d'un coup si l'on ne peut visiter ceux-ci. Quel dommage !

Voyant leur mine déconfite, le guide ajoute à leur intention :

— Ne regrettez rien ! Je sais l'attrait que ces passages secrets exercent sur les jeunes de votre âge, mais je peux vous assurer que ceux-ci ne recèlent aucun mystère.

— Pas le moindre trésor ? insiste l'homme brun en clignant de l'œil.

— Pas le moindre. Vous pensez bien qu'avant d'être condamnés, ils ont été fouillés à plusieurs reprises avec un soin extrême. Et maintenant, retournons là-haut !

Le groupe a amorcé sa remontée, quand, soudain, un mulot surgit sous le nez de Dag qui ferme la marche. En voyant le rongeur, le chien jette un « Ouah » aigu, tel un cri de guerre, et s'élance à sa poursuite. Il démarre si brutalement que la ficelle faisant office de laisse échappe à Claude.

— Dag ! Où vas-tu ? Reviens !

Mais Dag n'entend même pas. Ce mulot paraît le narguer : il ne va pas le laisser faire ! Le petit rongeur, sentant le péril, fait une embardée. Sa queue vient chatouiller la truffe du chien qui, surpris, s'arrête net.

Le mulot s'arrête lui aussi, moustache frémissante. Son œil vif brille de malice.

« Attrape-moi si tu peux ! » semble-t-il dire.

Et là-dessus, il repart à toute allure et s'engouffre dans le souterrain obscur. Dag lance un nouvel aboiement et se rue à sa poursuite. Claude, de son côté, crie « Dag ! » et, voyant qu'il n'obéit pas, se précipite à son tour.

Grâce à la lueur de son rat de cave, Claude y voit suffisamment pour se diriger. Le passage souterrain est moins encombré par les éboulis qu'on pourrait le craindre…

Loin devant elle, elle entend Dag aboyer après son mulot. Elle avance plus vite…

Seuls, les cousins de Claude, qui forment avec elle l'arrière-garde du groupe des visiteurs, se sont aperçus de sa disparition.

— Oh ! s'écrie Annie. Le guide a dit que ce boyau était dangereux.

— Claude va revenir avec Dag, ne crains rien ! dit Mick.

Au bout d'un moment, François, inquiet, s'apprête à partir à la recherche de sa cousine quand celle-ci reparaît, traînant un Dagobert récalcitrant au bout de sa ficelle.

— Ce mulot lui a fait perdre la tête, explique-t-elle en riant. J'ai eu toutes les peines du monde à le ramener. Quel enragé !

Le reste de la visite se déroule sans incident. Les enfants retrouvent leurs bicyclettes et reprennent le chemin des *Mouettes* : François, Mick et Annie très satisfaits de l'excursion, Dag dépité d'avoir vu son ennemi lui échapper et Claude silencieuse et visiblement absorbée dans ses pensées.

Cette attitude se prolonge pendant le repas du soir et même après. Cela ressemble si peu à Claude, d'ordinaire si vive et si bavarde, que Mme Dorsel s'inquiète :

— Tu n'es pas souffrante, Claude ? Tu n'aurais pas attrapé un coup de soleil cet après-midi, par hasard ?

— Non, maman ! Merci ! Je vais très bien !

Une fois sorti de table, Mick demande à son tour :

— Qu'y a-t-il, ma vieille ? Tu ne sembles pas dans ton assiette.

— Si, si... Mais je me pose des questions.

— À propos de quoi ? s'enquiert François.

— Le souterrain… et ce que j'ai vu à l'intérieur.

— Tu as vu quelque chose dans le souterrain ? questionne Annie en ouvrant de grands yeux.

— Parfaitement ! Bon !… autant tout vous expliquer…

Claude raconte alors que, partie à la recherche de Dag, elle n'a pas pour autant gardé ses yeux dans sa poche.

— Tout en marchant, je regardais à droite et à gauche, en m'éclairant avec mon rat de cave. Au moment où j'ai récupéré Dag, il aboyait, le nez entre deux rocs, au ras d'un trou par où avait disparu le mulot. Je me suis baissée pour lui passer sa ficelle au cou et c'est en me relevant que j'ai aperçu, devant moi, une étrange série de dessins gravés dans la pierre du mur...

— Quelle sorte de dessins ? demande François.

— Des hiéroglyphes bizarres… des signes mystérieux. Je n'ai pas eu le temps de bien voir et ils étaient plus ou moins effacés… Mais cela me tracasse. Peut-être sont-ils destinés à situer le trésor disparu… vous savez bien… le fameux trésor des Templiers !

Mick éclate de rire.

— Tu es folle ! Tu penses bien qu'une indication aussi importante ne s'étalerait pas ainsi, à la portée de tous !

— Pas de tous ! proteste Claude. Autrefois, seul le seigneur de Roquépine devait avoir accès au sous-sol du château.

— Mais depuis, objecte François, quantité de gens sont passés par ce souterrain au cours des siècles. Même si tes dessins servent à repérer l'emplacement du trésor, celui-ci a dû être découvert depuis belle lurette !

Claude soupire.

— Je savais bien que si je vous parlais de ma trouvaille vous vous moqueriez de moi. Pourtant, j'ai l'intuition qu'il y a peut-être là quelque chose d'intéressant...

— Les pressentiments de Claude ne la trompent jamais ! rappelle gentiment Annie.

— C'est vrai, admet François. Et si ces dessins concernent bien le trésor, rien ne prouve que quelqu'un les ait déjà déchiffrés...

— Quoiqu'il y ait de grandes chances ! coupe Mick.

— Écoutez ! reprend Claude. Pourquoi ne pas faire comme si le trésor était toujours à découvrir ? Pourquoi ne pas nous mettre à sa recherche ? Prenons cela comme un jeu

qui occupera agréablement nos vacances. Qu'en pensez-vous ?

— Je veux bien ! accepte Mick avec un entrain subit. Je vote donc pour la « course au trésor » !

— Moi aussi ! s'écrient en chœur François et Annie.

chapitre 2

La course au trésor

— Bon ! dit Claude. Mais, comme il faut un début à tout, la première chose à faire est de retourner au souterrain pour relever exactement les hiéroglyphes.

— Comment pénétrer dans le château ? dit François, soudain assombri. De jour, c'est impossible. Il y a tout le temps des touristes ou des gardiens…

— Nous pourrions nous éclipser dans le souterrain au cours d'une visite…, suggère Annie.

— Tous les cinq ? fait Mick. Difficile !

— Ouah ! opine Dago.

— Eh bien, s'écrie Claude, essayons de nous introduire là-bas de nuit. Le château

n'est pas gardé. Ce serait bien le diable si nous n'arrivions pas à nous y faufiler !

Les enfants tiennent conseil et finissent par décider que, pour ne pas perdre de temps, on retournera à Roquépine sur-le-champ. La nuit est belle, éclairée par la pleine lune. Les jeunes détectives se munissent de lampes électriques, d'une corde, de papier et de crayons, prennent leurs bicyclettes et quittent discrètement les *Mouettes.*

Les étoiles brillent dans un ciel pur. Il fait bon et frais. Cette fois, les enfants pédalent avec entrain sur la route. Dag court joyeusement à côté de Claude.

Bientôt, le château de Roquépine se profile au tournant du chemin, masse plus noire que la nuit. Les quatre cousins mettent pied à terre.

— Nous avons de la chance ! constate François après un rapide coup d'œil autour de lui. Regardez ! Voici un échafaudage de maçon dressé contre ce mur qui est en partie écroulé.

— Je l'avais remarqué ! dit Mick. Nous pouvons essayer d'entrer par là !

Ce n'est pas difficile. Une fois sur le mur, ils n'ont aucune peine à se laisser glisser de l'autre côté, grâce à la corde qu'ils attachent à l'un des montants tubulaires de

l'échafaudage. Dag, que l'on fait descendre au bout de la même corde, est le seul à ne pas apprécier la performance.

De la cour, où ils atterrissent, les Cinq se faufilent à l'intérieur du château en ruine et gagnent la salle basse d'où part le souterrain. Dag, reconnaissant le théâtre de ses exploits, s'engage de lui-même dans le boyau. Peut-être espère-t-il y rencontrer le mulot farceur qui s'est si bien moqué de lui !

Claude et ses cousins suivent. Leurs pas résonnent de curieuse manière. Annie, un peu oppressée, n'est qu'à demi rassurée et se tient très près de son frère aîné. Mick ferme la marche. Soudain, Claude s'arrête. Le faisceau lumineux de sa lampe électrique balaie un pan de mur, à hauteur d'homme.

— C'est ici ! annonce-t-elle. Regardez !

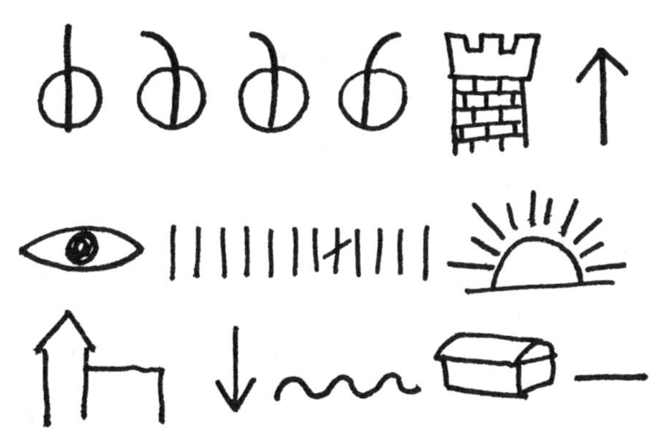

François, Mick et Annie tendent le cou… D'étranges signes s'étalent sous leurs yeux, sur trois lignes.

— Ces dessins sont certainement mystérieux ! s'écrie François, ravi. Dépêchons-nous de les transcrire sur papier !

— Vite, Annie ! dit Mick. Passe-moi le bloc…

Il a déjà tiré son stylo à bille et se met à copier les signes bizarres gravés dans le mur.

— La pierre est bien usée, fait remarquer Annie, et certains de ces dessins sont à demi effacés !

— Cela prouve qu'ils ne datent pas d'hier ! réplique sa cousine… Oh ! Quelque chose me dit qu'ils sont en relation avec le trésor des Templiers !

— Même si ce n'est pas le cas, répond Mick qui achève son relevé, nous les prendrons comme point de départ de notre enquête « bidon » ! Il faut jouer à fond le jeu de la chasse au trésor !… Là !… J'ai fini !

Le jeune garçon considère ses notes d'un air satisfait, les plie avec soin et les met dans sa poche.

— Maintenant, rentrons ! conseille François. Je crois que nous avons fait du bon travail !

Dag, qui n'a pas retrouvé trace de son mulot, aimerait bien rester encore un peu

et exprime son sentiment par un « Ouah ! » significatif.

Claude coupe court à sa protestation.

— À la niche, mon vieux ! lui dit-elle. C'est grâce à toi que j'ai aperçu ces dessins, d'accord, et nous t'en sommes tous reconnaissants. Mais, demain, nous commencerons notre enquête, et tu dois te reposer comme nous pour être en forme Dieu sait les démarches qui nous attendent !

Dès le lendemain, les Cinq se mettent à l'œuvre avec entrain. Avant tout, il leur faut se renseigner, avec un maximum de discrétion, sur l'origine possible des dessins mystérieux et, surtout, chercher à en pénétrer la signification en s'aidant à la fois de la légende et de la disposition des lieux.

— Nous nous sommes attelés à une rude tâche ! soupire François en grimpant le perron de la mairie de Kernach, choisie par les enfants comme première étape de leurs recherches.

— Ne te décourage pas avant d'avoir commencé ! dit gentiment Annie. Consultons vite les archers !

— Les archives ! corrige Mick. En particulier celles qui concernent Roquépine !

Les quatre cousins doivent d'abord parlementer avec une jeune personne indolente, puis avec un vieux monsieur moustachu. Celui-ci – adjoint au maire – sourit aimablement aux quatre cousins.

— Je vous aurais bien volontiers donné accès à nos vieux grimoires, déclare-t-il, mais, à part les registres habituels – état civil et autres –, nous n'en avons pas !... En tout cas, rien qui se rapporte à ce château de Roquépine dont l'histoire a éveillé votre intérêt de jeunes gens avides de s'instruire !

Après avoir remercié, les « jeunes gens avides de s'instruire » vont tristement récupérer leurs vélos au bas du perron.

— Un coup pour rien ! regrette Claude. Filons jusqu'au musée !

Il s'agit, à vrai dire, d'un tout petit musée, d'intérêt purement local. Mais, pour cette raison même, les jeunes détectives espèrent y dénicher quelques documents intéressants. Une unique employée se tient au guichet. Tout en délivrant quatre tickets d'entrée (Dag s'est déjà faufilé, inaperçu, sous le tourniquet), elle répond volontiers aux questions des jeunes visiteurs.

— Oui, oui, nous avons des papiers relatifs au château de Roquépine... Nous vendons

même un plan des ruines, destiné à aider les touristes à se diriger…

Les quatre cousins échangent des regards enchantés. François achète immédiatement l'un des plans en question. L'employée le lui tend avec un beau sourire :

— C'est le second que je vends ce matin ! affirme-t-elle. Deux messieurs, qui avaient l'air aussi intéressés que vous par Roquépine, m'ont acheté le premier !

Elle se met à rire et ajoute :

— Étaient-ils drôles, ces deux-là ! Un grand blond ! Et un petit tout brun qui avait l'air d'un clown à la parade ! Il a déplié son plan en faisant semblant de jouer de l'accordéon avec.

Pour la seconde fois, les enfants se regardent. À la description faite par la guichetière, ils viennent de reconnaître les deux touristes qui, en même temps qu'eux, ont visité le château de Roquépine et – toujours comme eux ! – ont paru s'intéresser au trésor des Templiers.

— Tiens ! Tiens ! murmure Claude entre ses dents. Eux aussi ont donc acheté un plan !…

Puis, à la suite de ses cousins, elle passe le tourniquet et débouche dans la salle du musée, déserte à cette heure.

Non seulement le musée ne fournit aucun renseignement intéressant aux jeunes détectives, mais le plan leur apporte un cruel désappointement : les souterrains, qu'ils espéraient y voir figurer, brillent par leur absence.

— Flûte ! jette Mick, dégoûté. Chou blanc pour la seconde fois !

— Nous aurions dû nous y attendre ! dit François en sortant de la salle. Après tout, ces boyaux souterrains sont condamnés et le public ne peut pas les visiter !

— Il ne nous reste plus qu'à nous rendre à la bibliothèque ! conclut Claude en passant devant le guichet.

La bavarde employée l'entend et sourit.

— Je parie que vous allez y trouver mes deux clients de ce matin ! lance-t-elle. Je les ai entendus qui parlaient d'y aller. Décidément, notre histoire locale a beaucoup de succès en ce moment !

Une fois dehors, sous le brillant soleil d'été, les enfants échangent quelques réflexions avant de se mettre en route pour leur troisième étape.

— Est-ce que vous ne trouvez pas étrange, dit Claude, que ces deux hommes, que je baptiserai Leblond et Lebrun, semblent suivre la même route que nous ?

— Tu vois de l'étrange partout ! fait remarquer Mick.

— Peut-être, suggère Annie, ces hommes s'intéressent-ils comme nous au trésor des Templiers...

François sourit à sa jeune sœur et plaisante :

— L'imagination de Claude est contagieuse, dirait-on.

— Vous, les filles, ajoute Mick, vous faites toujours une montagne d'une taupinière.

— Mais rien ne prouve que j'aie tort ! proteste Claude. Même si ces touristes ne croient pas vraiment à l'existence du trésor, peut-être, comme nous, s'amusent-ils à retrouver sa trace... pour se distraire.

— Possible ! admet François.

— Reconnaissez en tout cas, insiste Claude, qu'ils semblent en train d'effectuer les mêmes démarches que nous : ils sont venus ici, au musée, ils ont acheté le plan du château de Roquépine et ils ont parlé de se rendre à la bibliothèque.

— À quoi sert de discuter ! dit Mick. Ne nous inquiétons plus d'eux et allons là-bas nous-mêmes !

Arrivés à la bibliothèque, les jeunes détectives se heurtent presque aux deux hommes qui en sortent.

— Nos rivaux dans la chasse au trésor ! chuchote ironiquement François à l'oreille de sa cousine.

« Leblond » et « Lebrun », cependant, ont reconnu les enfants. Un large sourire s'épanouit sur la figure du second.

— Mais ce sont nos jeunes amis d'hier ! s'exclame-t-il. Bonjour, jeunes gens ! Ce chien n'est pas encore mort d'indigestion ? Il paraît beaucoup aimer le sucre !

De la main, il flatte Dag qui s'est approché de lui en frétillant de la queue.

— Comment s'appelle-t-il ? demande à son tour aimablement Leblond.

— Cela dépend des jours, répond Claude, facétieuse.

— Comment cela ?

— Eh bien, le lundi je l'appelle D, le mardi Da, le mercredi Dag, le jeudi Dago, le vendredi Dagob, le samedi Dagobé, et le dimanche Dagobert !

Lebrun s'esclaffe bruyamment.

— Est-il drôle, ce gamin… oh ! pardon ! Je me rappelle que tu es une fille ! Dagobert, dis-tu… Mais pourquoi débites-tu ainsi son nom en tranches ?

— Pour ne pas l'user trop vite en cours de semaine ! réplique gravement Claude.

Le placide Leblond lui-même ne peut retenir un sourire.

— Voilà une mesure d'économie qui fait honneur à ton imagination ! Allons !... Bonne journée, jeunes gens !

Les deux hommes s'en vont. Les enfants entrent dans la salle de lecture. François, s'approchant du préposé à la distribution des livres, demande poliment à s'entretenir avec M. Aubriant, le bibliothécaire. Celui-ci, un érudit plein de bonhomie, ne fait aucune difficulté pour recevoir les Cinq.

C'est un personnage sympathique, à l'expression bienveillante, qui met tout de suite ses visiteurs à l'aise.

— En quoi puis-je vous aider, mes amis ?

Claude consulte ses cousins du regard, comme pour leur demander s'ils doivent parler franchement. François, Mick et Annie font un signe d'assentiment. Alors, s'exprimant à tour de rôle, les jeunes détectives mettent leur interlocuteur dans le secret. Ils sentent d'instinct que M. Aubriant peut les aider et ne les trahira pas. Quand ils ont fini, le bibliothécaire sourit.

— Si je comprends bien, résume-t-il, les dessins inscrits dans la pierre du souterrain vous intriguent et vous espérez qu'en

les déchiffrant vous pourrez accéder à la cachette – vide ou non – du fameux trésor de Roquépine ?

— Oui, monsieur, dit François. Nous avons pris note de ces dessins et nous pensons que, peut-être, grâce à votre concours, nous arriverons à les déchiffrer...

M. Aubriant saisit la feuille que Mick lui tend... Son sourire se fait indulgent.

— Je ne voudrais pas doucher votre bel enthousiasme, dit-il, mais je dois vous prévenir que, depuis longtemps, ces signes mystérieux ont attiré l'attention d'autres visiteurs. En fait, plusieurs chercheurs ont trouvé la signification d'une partie de ces dessins...

Le visage des enfants s'allonge.

— C'était à prévoir ! soupire Annie.

— Ces chercheurs n'ont pas été avancés pour autant, continue M. Aubriant. Leur découverte paraît ne les avoir menés à rien... Il est vrai, ajoute-t-il, et je vous le répète, que ces hiéroglyphes n'ont pas été déchiffrés dans leur totalité... à ma connaissance, du moins.

— S'il vous plaît, monsieur, risque Claude, cela vous ennuierait-il de nous donner la traduction des dessins déjà interprétés ?

— Pas le moins du monde ! Regardez !...

chapitre 3

Des signes étranges

Avec empressement, François, Mick, Claude et Annie se groupent autour de lui pour considérer la feuille qu'il a étalée sur la table devant lui.

— Pour commencer, explique M. Aubriant, voici un rond. Il figure la section du boyau souterrain où vous avez vu les hiéroglyphes. Le trait signifie « Allez tout droit ! »

François et Mick poussent un léger sifflement. Claude et Annie se penchent pour mieux voir.

— Le second dessin représente le même rond, coupé d'une barre s'incurvant sur la gauche..., poursuit le bibliothécaire.

— Et signifie « Tournez à gauche ! », s'écrie Mick.

— Tout juste. Et le troisième…

— « Tournez encore à gauche ! », continue Annie. Et le quatrième « Tournez à droite ! ».

— Exactement. Le cinquième se lit facilement.

— C'est une tour ! dit Claude. Après avoir suivi le souterrain, on arrive donc à une tour. Quant au sixième signe, il est aisé à interpréter. Une flèche dirigée vers le haut ne peut que vouloir dire…

— « Montez à la tour ! », achève François.

— Et voilà ! Vous avez compris…, dit M. Aubriant. Malheureusement, à partir du dessin suivant, le mystère subsiste. L'œil, les barres et le reste n'ont jamais été interprétés, pour ce que j'en sais tout au moins.

— Il nous reste donc de l'espoir ! s'écrie Claude avec sa pétulance habituelle.

M. Aubriant lui sourit amicalement.

— En tout cas, dit-il en rendant son manuscrit à Mick, si vous avez l'intention de poursuivre vos recherches, inutile de risquer de recevoir une pierre sur la tête en explorant le souterrain. On sait qu'il aboutit à une tour antique, encore debout par miracle, mais qui n'a rien de secret. On l'a baptisée La Vigie et je peux vous en montrer l'emplacement sur la carte de la région. Regardez.

— Et elle ne recèle aucun trésor ? demande naïvement Annie.

M. Aubriant se met à rire de bon cœur.

— La seule chose que je peux vous dire, c'est qu'on n'en a jamais trouvé aucun !

Avant de prendre congé du bibliothécaire, Mick a l'idée de lui demander si personne n'est venu, avant eux, le consulter au sujet du trésor. M. Aubriant affirme que non. En revanche, le préposé aux livres, interrogé à son tour, déclare que deux hommes ont demandé à compulser les ouvrages concernant Roquépine.

— Leblond et Lebrun ! grommelle Claude. Nos rivaux dans la chasse au trésor !

— Bah ! dit François. Ce n'est pas certain. Et puis, il ne s'agit que d'un jeu. Cette rivalité le corse !

— Du reste, ces messieurs n'ont pas de dessin pour les guider, rappelle Mick. Du moins, je le suppose...

En fait, les jeunes détectives quittent la bibliothèque moins déçus qu'on aurait pu le craindre. Ils conservent l'espoir d'arriver à interpréter pour le mieux les autres signes du message gravé dans le roc.

— Et même si cela ne nous mène à rien, conclut Annie, tant pis ! Nous nous serons bien amusés tout de même !

Après le repas de midi, les Cinq reprennent leur enquête. Cette fois, ils ont un fil conducteur. Suivant le sage conseil de M. Aubriant, ils renoncent à fouiller le souterrain et enfourchent leurs bicyclettes pour se rendre directement à La Vigie.

Il s'agit d'une tour ronde, trapue, au faîte crénelé, et qui ressemble bien au dessin trouvé à Roquépine. Claude exulte.

— Elle est certainement aussi vieille que le château ! dit-elle.

— Sans doute, admet François. Mais il semble qu'elle ait été consolidée, sinon restaurée, au cours des siècles. Venez ! Commençons par en faire le tour !

Cette promenade circulaire n'apprend rien de plus aux Cinq. Le moment est venu de visiter l'intérieur de La Vigie et d'essayer d'en pénétrer le secret ! L'escalier en spirale qui conduit au sommet de la tour correspond certainement à la flèche ascendante du message rupestre. Ses marches de pierre, très usées, sont légèrement branlantes, mais néanmoins solides.

Tout en grimpant, Annie ne peut s'empêcher de penser à l'œil figurant parmi les hiéroglyphes et dont ni ses frères, ni Claude, ni elle-même n'entrevoient la signification. Cet

œil mystérieux et invisible lui semble fixé sur elle. La petite fille en éprouve un vague malaise.

De leur côté, François, Mick et Claude songent à ce même œil et, tout en montant, regardent à droite et à gauche pour voir s'ils ne l'aperçoivent pas, gravé sur la paroi rocheuse. Mais l'œil n'est nulle part...

Seul Dag escalade les marches sans l'ombre d'un souci. Il adore les exercices qui lui dégourdissent les pattes, et cet escalier est tout à fait à sa convenance.

Enfin, les jeunes détectives, transpirant sous l'effet combiné de l'effort et de la chaleur, débouchent au sommet de la tour. Ils se trouvent alors sur une plate-forme circulaire protégée par un mur-parapet, très élevé, circulaire comme elle, et percé, à intervalles réguliers, par d'étroites meurtrières : une douzaine en tout. Ce mur est également crénelé. Cette disposition, plutôt curieuse, permet aux visiteurs d'avoir vue sur la campagne alentour soit par les meurtrières, soit par les échancrures plus larges des créneaux.

En silence, les enfants examinent les lieux. Puis François résume la situation :

— Et voilà ! Nous sommes en haut de la tour et pas plus avancés pour autant !

— Comme ceux qui sont passés là avant nous ! soupire Annie qui se souvient des conclusions du bibliothécaire.

— Hé, là ! Espèces de défaitistes ! lance Claude, irritée. Vous n'allez pas jeter le manche après la cognée ! Nous avons déjà affronté des énigmes difficiles et nous sommes toujours parvenus à les déchiffrer. Alors, pourquoi pas cette fois encore ?

— Tu as raison, ma vieille ! s'écrie Mick avec conviction. Nous ne sommes ici que depuis dix minutes, après tout ! Il faut chercher encore...

Consciencieusement, les Cinq (car Dag fouine de son côté, sans trop savoir pourquoi, du reste !) examinent de nouveau l'endroit où ils se trouvent, tapotant les pierres, inspectant les meurtrières, lisant même les graffiti que de précédents visiteurs ont tracés sur les créneaux. Rien ne leur paraît digne d'intérêt.

— Il n'y a vraiment rien à découvrir ! soupire Mick en fin de compte.

Claude jette feu et flamme :

— Voilà que tu penses comme François et Annie ! Pour un petit échec momentané, vous êtes prêts à tout laisser tomber !

— Pas du tout ! proteste François. Mais puisque l'examen de la tour n'a rien donné, il faudrait peut-être nous concentrer

davantage sur le message si nous voulons faire un nouveau pas en avant.

— Je…, commence Claude.

Elle s'interrompt. Un bruit de pas claque sur les degrés de l'escalier en spirale. Et elle voit Dag qui en arrêt, le museau pointé vers la marche supérieure, frétille joyeusement de la queue.

— Allons, bon ! murmure-t-elle. Encore eux, je parie !

Elle a à peine fini de parler que deux hommes débouchent du trou d'ombre. C'est Leblond et Lebrun !

À la vue des enfants, ils s'exclament :

— Tiens, tiens ! Comme on se retrouve !

Les enfants font intérieurement la grimace. Ils voudraient les fâcheux à cent lieues de là. Dago, en revanche, s'avance joyeusement vers les nouveaux venus.

Avec les mines de clown qui lui sont habituelles, Lebrun sort un morceau de sucre de sa poche.

— À qui ce bon su-sucre ? Au gentil chienchien à sa mémère !

Claude le taperait alors que ses cousins, amusés malgré eux, ne peuvent s'empêcher de rire.

— Alors, les gosses ? dit le placide Leblond. On admire le paysage ?

— Il est tout admiré, répond assez sèchement Claude. Nous vous laissons la place !

Elle s'élance dans l'escalier, Dag sur les talons. François, Mick et Annie lui emboîtent le pas. L'escalier faisant office d'amplificateur sonore, ils entendent Lebrun murmurer à son compagnon :

— Hé ! Pas commode, la gamine !

Claude rougit mais ne dit rien et continue de descendre. Quand les Cinq sont au pied de la tour, ils lèvent machinalement les yeux. Là-haut, penchés aux créneaux, le deux hommes les regardent partir. Malgré la distance, les enfants peuvent constater qu'ils ne sourient plus. Leurs visages ne sont plus qu'un masque dur…

Quand les Cinq atteignent les *Mouettes*, l'heure est déjà avancée. Le temps a passé plus vite qu'ils n'auraient cru. Dans la soirée, ils descendent sur la plage, éclairée par un magnifique clair de lune, pour y faire une partie de ballon...

François et Mick courent de toutes leurs forces. Claude bondit comme un kangourou. Annie, qui vise juste, envoie toujours le ballon avec une grande précision.

Dag galope et aboit, gênant les joueurs mais ne s'en souciant guère. Bref, les Cinq

mènent grand tapage, se défoulant ainsi de leur journée de recherches, sans gêner personne puisqu'ils n'ont pas de voisins...

Quand ils sont à bout de souffle, tous se laissent tomber sur le sable et restent un moment silencieux. Près d'eux, les vagues chantent doucement.

— Et maintenant, dit brusquement Claude, si nous pensions un peu à notre énigme ? C'est le moment ou jamais d'en discuter à tête reposée.

Mick tire le manuscrit de sa poche.

— La première ligne a été interprétée, constate-t-il en soupirant. Mais nous trébuchons sur cet œil...

— Le mauvais œil ! fait remarquer Annie, ironique.

François se met à rire.

— Eh bien, essayons donc de conjurer le mauvais sort !

— Si nos rivaux nous le permettent ! coupe Claude en se renfrognant. Ils ont certainement repéré eux aussi les hiéroglyphes ! C'est sans doute pour cela que nous les avons retrouvés au sommet de La Vigie !

— Dans ce cas, ils en sont au même point que nous, souligne Mick. L'essentiel est d'aller plus vite qu'eux.

— À mon avis, reprend François, l'œil peut tout simplement signifier « Ouvrez l'œil ! »... pour attirer l'attention, en quelque sorte.

— Mais sur quoi ? demande Annie.

— Sur les signes suivants... les petites barres.

— Il y en a douze, dit Annie. Douze, dont une barrée.

— Le mystère de la barre barrée ! chantonne Mick. Si on a barré celle-ci, c'est qu'il ne faut pas la compter. Il ne reste donc que onze barres au total !

Claude réfléchit, sourcils froncés.

— Pas sûr ! dit-elle enfin. Si celui qui a gravé ces lignes avait voulu supprimer une barre, il aurait tout naturellement barré la dernière.

— Oui... sans doute ! Ces petites barres...

— Rien ne prouve qu'elles soient petites, coupe Claude. Nous n'en connaissons pas la dimension réelle et elles peuvent représenter n'importe quoi...

— Des bâtons ? suggère Annie.

— Certes pas ! déclare Mick tout net. Des morceaux de bois ne constituent pas des jalons assez solides et durables !

— Des arbres ? propose la petite fille.

— Ces barres n'ont pas de branches !

— Des cheminées d'usine ? dit encore Annie.

— Ah, ah ! Tu me fais rire ! réplique Mick en s'esclaffant. Des usines sous Philippe le Bel ! Tu en as de bonnes, toi !

— Attendez un peu ! s'écrie Claude qui continue à réfléchir. Il y a douze barres, n'est-ce pas ? Eh bien, là-haut, sur la terrasse de La Vigie, j'ai constaté que le mur formant parapet...

— Était percé de douze étroites meurtrières ! s'exclame François, achevant la phrase de sa cousine. Moi aussi, je l'ai remarqué, Claude !

— Ce qui signifie peut-être, enchaîne celle-ci, que les douze traits correspondent aux douze longues ouvertures du mur crénelé !

— Hourra ! hurle Mick, toujours prompt à s'enthousiasmer. Il faudra retourner là-haut demain...

— Ce qui ne nous avancera guère, coupe François, si nous ne déchiffrons pas plus avant le mystérieux message.

— Tu as raison, vieux frère ! Voyons un peu la suite...

Mick consulte de nouveau son papier à la clarté de la lune.

— Ah ! Voici un dessin très clair : un demi-soleil ! Impossible de se tromper sur sa signification !

Claude se met à ricaner.

— Si tu comprends ce que ça signifie, tu es très fort, dit-elle. Je vois bien qu'il s'agit d'une moitié de soleil, mais cela ne m'éclaire guère, sans jeu de mots ! Car, après tout, ce dessin peut aussi bien représenter le soleil levant que le soleil couchant !

— C'est vrai, ça ! soupire Mick, désappointé. Et quel rapport avec les barres… ou les meurtrières ?

Tandis que François, Mick et Claude réfléchissent à la question, la petite voix d'Annie s'élève soudain :

— L'œil, les barres, le demi-soleil… Ça veut peut-être dire qu'il faut regarder à travers les meurtrières pour voir le soleil se lever ou se coucher…

— C'est une idée ! admet François. Une excellente idée, même. Mais je ne vois pas bien ce qu'il y a au bout… Résumons la situation : si vraiment on nous conseille de regarder à travers ces fentes pour observer un demi-soleil, reste à déterminer s'il s'agit du soleil levant ou du soleil à l'aube ou au crépuscule Et quelle meurtrière choisir

au juste ? Cela, nous ne pourrons le déterminer que sur place en remontant là-haut.

— Tu as raison ! dit Claude. Nous retournerons donc à La Vigie demain… juste avant le lever du soleil. Qu'en pensez-vous ?

— D'accord ! s'écrie Mick. En attendant, si nous faisions une autre partie de ballon ?

Et, infatigables, les Cinq recommencent à jouer sur la plage, au clair de lune.

chapitre 4

Tout s'éclaire !

Le lendemain matin, de bonne heure, les Cinq se mettent vaillamment en route. Le soleil n'est pas encore levé, il fait un peu frisquet, mais les ombres de la nuit se dissipent peu à peu.

— Dépêchons-nous ! dit Mick. Il ne faut pas rater le lever de Phébus !

— Phébus ? répète Annie, surprise. Qui est-ce ?

— Petite cruche ! C'est ainsi que les Grecs appelaient autrefois le dieu du Soleil !

— Ah ! bon. Tu m'en diras tant ! réplique Annie avec sa bonne humeur habituelle, mais un peu vexée au fond.

Cependant, tout en bavardant, les jeunes détectives se rapprochent rapidement de

leur but. Ils espèrent bien, une fois au sommet de La Vigie, faire des découvertes qui jetteront de nouvelles lueurs sur le mystère qui les intrigue.

L'ascension de la tour leur prend peu de temps. À peine débouchent-ils sur la terrasse, ceinte du mur crénelé, que les premiers rayons du soleil jaillissent à l'horizon.

— Vite ! jette Claude en se précipitant vers la meurtrière la plus à l'est.

Massés les uns derrière les autres, par ordre de taille, les enfants regardent, de tous leurs yeux, le soleil se lever sur la campagne… Dag lui-même, dressé sur ses pattes de derrière, appuie son museau au ras de la meurtrière, juste au-dessous de la tête d'Annie. Quelqu'un qui les aurait photographiés ainsi aurait obtenu un cliché fort drôle Mais les enfants sont seuls et s'en félicitent.

Le soleil, à présent, offre l'aspect du dessin rupestre, à cela près qu'il éblouit et que les jeunes observateurs ont peine à garder les yeux ouverts.

— Inutile d'insister ! dit Mick tandis que la boule dorée monte rapidement dans le ciel.

— Hélas ! renchérit François, il n'y a rien à voir. De ce côté, l'horizon est plat comme la main…

— Mais de l'autre côté, c'est-à-dire à l'ouest, fait remarquer Claude, on verrait le soleil se coucher sur la mer.

— Cela ferait-il une différence ? grommelle Mick, déçu.

— J'en suis sûre ! répond Claude avec force. Nous reviendrons ici ce soir, juste avant le coucher de…

— Phébus ! achève Annie.

Tous éclatent de rire.

— En attendant, reprend François, faisons le tour de ces meurtrières et examinons-les de près. Qui sait ! Nous aurons peut-être plus de chance qu'hier. Un détail a pu nous échapper !

Patiemment, ils reprennent leurs recherches. Soudain, Mick appelle les autres :

— Hé ! Venez voir !

François, Claude et Annie se précipitent. Mick, planté devant une des meurtrières, leur désigne des restes de mortier, visiblement ancien, qui adhère encore aux sections intérieures de la mince ouverture.

— Ces vestiges de ciment…, commence-t-il.

— Ce n'est pas du ciment mais un mortier grossier, rectifie François qui, avec ses ongles, gratte la substance dure.

— Si tu veux ! Ces vestiges de mortier, donc, ne datent pas d'hier. Ils semblent prouver…

— Que cette meurtrière a été jadis condamnée, achève Claude avec enthousiasme. Oui, oui, tu as raison, Mick ! Je comprends. Bravo !

— Qu'y a-t-il à comprendre ? demande la petite Annie.

— Que cette meurtrière murée correspond à la barre barrée de notre énigme, tout simplement, explique François.

— Cette ouverture a été dégagée par la suite, plusieurs siècles plus tard, peut-être, continue Mick.

— Elle regarde l'ouest ! fait remarquer Claude. Là où le soleil se couche. L'explication est claire. Pour trouver une nouvelle indication relative à l'emplacement du trésor, le dessin du souterrain conseillait aux chercheurs de regarder le soleil couchant à travers cette meurtrière tournée vers l'ouest. Pour cela, il suffisait de faire sauter le mortier !

François, cependant, est pensif. Machinalement, il se gratte le crâne.

— Je me demande pourquoi c'est la huitième barre qui est rayée. Après tout, elle ne peut pas porter un numéro puisque la tour est ronde ! N'importe laquelle des douze meurtrières peut être la huitième. Cela

dépend de l'endroit où l'on commence à les compter.

— Peut-être, suggère Mick, en a-t-on barré une au hasard, parmi les autres, uniquement pour désigner celle qui avait de l'importance.

Claude hoche la tête. Elle soupçonne quelque chose de plus subtil.

— Et si, suggère-t-elle tout haut, ces ouvertures correspondaient aux douze mois de l'année ? Le soleil ne se lève pas et ne se couche pas exactement au même endroit tous les mois. Le dessin désigne peut-être la meurtrière condamnée, en précisant qu'il fallait regarder à travers elle le huitième mois de l'année, en direction du couchant.

François pousse une exclamation.

— Claude ! Je parie que ton raisonnement est juste ! Tout s'éclaire ! Et le huitième mois de l'année...

— C'est le mois d'août ! Et nous sommes précisément au mois d'août ! La chance nous sourit ! s'écrie Mick.

— Quel bonheur ! s'exclame Annie en sautant de joie. Nous n'aurons qu'à revenir ce soir et nous serons fixés !

— Tout de même, dit Mick, il y a quelque chose qui me tracasse. Cette meurtrière... cet œil ouvert sur le paysage... a été dégagée !

Cela peut signifier qu'un autre que nous a déjà trouvé, sinon le trésor, du moins l'indice suivant servant à le découvrir.

— Penses-tu ! dit Claude, optimiste. Les maçons ont dû faire sauter le mortier quand ils ont restauré la tour, voilà tout ! Oh ! Qu'il me tarde d'être à ce soir !

La journée paraît longue aux jeunes détectives. Pour tromper leur attente, ils organisent une partie de bateau à bord du *Saute-Moutons*, le canot de Claude, et vont pique-niquer sur la petite île de Kernach, en face des *Mouettes*.

Après une joyeuse dînette, une longue baignade et quelques jeux sur la plage, les Cinq prennent le chemin du retour. Ils surveillent l'heure et ne veulent pas se mettre en retard. Pour garder la pleine liberté de leurs mouvements, les enfants ont même prévenu Mme Dorsel qu'ils comptent dîner en pleine nature des reliefs du repas de midi et que, de ce fait, ils ne rentreront pas avant la nuit.

M. et Mme Dorsel, qui savent la région sûre, ne sont pas fâchés de voir les enfants profiter du grand air au maximum. Aussi ne formulent-ils jamais aucune objection quand les Cinq s'attardent un peu au-dehors. Il leur suffit d'être avertis.

Après avoir mis le *Saute-Moutons* à l'abri dans la remise à bateaux, en contrebas de la villa, Claude et ses cousins, pleins d'espoir, enfourchent donc leurs vélos et reprennent le chemin de La Vigie. Dag, fatigué d'avoir couru d'un bout à l'autre de l'île, trône sur le porte-bagages de sa petite maîtresse.

Les jeunes détectives sont si impatients d'assister au coucher du soleil, qu'ils arrivent en avance au sommet de la tour. L'astre, resplendissant, descend dans le ciel. Sans un mot, les enfants se groupent devant la meurtrière donnant à l'ouest. Leur cœur bat très fort. Que vont-ils voir ? Que vont-ils apprendre ? Et leur regard sera-t-il assez vif pour saisir l'indice révélateur si celui-ci existe bien ?

Tout doucement, le soleil commence à décliner à l'horizon, c'est-à-dire à s'enfoncer dans la mer qui s'étend, tout là-bas, devant les Cinq. Chacun retient sa respiration et ouvre grands les yeux. L'astre s'enfonce un peu plus. Soudain, on ne voit plus que la moitié du grand disque d'or rouge.

— Ah ! fait Annie.

— Ah ! répètent ses frères et Claude.

Chacun vient d'apercevoir, se découpant nettement en ombre chinoise sur le soleil

couchant, les contours d'une ferme flanquée d'une tourelle.

— Cette ferme fortifiée..., murmure François. Elle est identique à celle gravée dans le mur du souterrain !

— C'est elle tout craché ! renchérit Mick.

chapitre 5

Des révélations troublantes

Claude exulte. Attrapant Dag par les pattes de devant, elle se met à danser avec lui une gigue échevelée.

— À nous le trésor ! À nous le trésor ! chante-t-elle.

— Ouah ! répond Dag d'un air convaincu.

François, Mick et Annie se mettent à rire.

— Hé ! Nous ne le tenons pas encore, ce trésor ! dit Mick ! Il nous faut d'abord repérer la ferme, puis interpréter les signes suivants !

Claude lâche Dag et regarde de nouveau à travers la meurtrière : le soleil a disparu mais il fait assez clair pour distinguer encore le bâtiment à tourelle…

— Cette ferme, dit Claude en souriant, je la connais bien. Quand j'étais petite, maman m'emmenait souvent avec elle pour y chercher du bon lait frais. C'est une ancienne dépendance du château de Roquépine. Elle a été maintes fois retapée et appartient actuellement à un agriculteur, M. Legallet. Il y vit avec sa famille. Sa fille, Véronique, est même une amie à moi. Elle doit avoir l'âge de François.

— Je la connais un peu, dit Annie. Elle est très gentille.

Les Cinq redescendent l'escalier de la tour et reprennent leurs vélos. Il fait un temps délicieux. La petite troupe s'arrête en route pour dévorer, dans un pré, les restes du pique-nique... Dès que le crépuscule s'épaissit un peu, ils regagnent les *Mouettes*. Les garçons semblent pensifs.

— François ! Mick ! Qu'est-ce qui vous tracasse ? demande Claude.

— Cette ferme à laquelle aboutit notre enquête... me paraît sans mystère ! soupire François.

— Et pourquoi donc ? Parce qu'elle est habitée ? Quelle sottise ? N'oublie pas qu'elle dépendait autrefois de Roquépine. Je suis sûre, moi, qu'elle nous réserve des surprises !

Le lendemain, après un petit déjeuner de gourmands que leur sert Maria, qui depuis de longues années aide Mme Dorsel à tenir la maison, les enfants se réunissent dans le jardin des *Mouettes.*

— Voyons ! dit Mick. À propos de cette ferme, que décidons-nous ? Et d'abord, comment s'appelle-t-elle ?

— Les *Hautes-Roches,* répond Claude. Nous pourrions aller y goûter cet après-midi. Mme Legallet sert volontiers du thé, du café et des gâteaux aux touristes de passage. Je crois que son mari a emprunté beaucoup d'argent pour moderniser sa ferme et mettre sur pied une laiterie pilote. Ils ont besoin de faire rentrer des fonds, en ce moment.

— Et pendant le goûter, nous ouvrirons les yeux et les oreilles, je suppose ? interroge Annie. Mais pourquoi ne pas y aller plus tôt ?

— D'abord, dit Claude en se levant, parce que, ce matin, nous devons faire des commissions pour maman, au marché de Kernach. Ensuite, parce que, avant d'aller là-bas, nous discuterons un peu des autres hiéroglyphes du message. D'accord ?

— D'accord !

Après avoir reçu de Maria la liste des provisions à acheter, les Cinq prennent leurs

bicyclettes, et filent vivement en direction du village. Sur la place centrale, le marché, très pittoresque, bat son plein. Il y a là des étalages de toutes sortes : légumes, fruits, fleurs, volailles, et même vêtements de confection et bijoux fantaisie. Les acheteurs vont et viennent au milieu d'un joyeux brouhaha. Claude avise soudain Véronique Legallet et son frère Thierry, qui tiennent un stand de beurre, œufs et fromages.

— Voilà Véronique et son frère ! souffle-t-elle à ses cousins. Achetons-leur des œufs. Nous ferons allusion au goûter de cet après-midi. Ce sera une excellente entrée en matière.

Véronique est une gentille fille blonde, et son grand frère Thierry, âgé d'environ quinze ans, un garçon sympathique aux yeux vifs et pétillants d'intelligence.

— Tiens ! Claude Dorsel ! s'exclame-t-il en souriant. François ! Mick ! Annie ! Salut, Dagobert ! Tu me donnes la patte ?

Les enfants font leurs achats, puis Mick, très naturellement, annonce l'intention des Cinq d'aller goûter à la ferme dans l'après-midi.

— Entendu ! dit Véronique. Aux *Hautes-Roches*, nous serons moins bousculés qu'ici ! Nous pourrons bavarder un peu !

De retour aux *Mouettes*, les Cinq aident Maria à ranger les provisions, puis vont se baigner dans la mer. Après déjeuner, ils reprennent leur cryptogramme et tentent de le déchiffrer plus avant.

— Faisant suite à la ferme, qui correspond certainement à celle des *Hautes-Roches*, dit François, nous trouvons une flèche descendante.

— Le trésor doit être dans la cave de M. Legallet ! s'écrie Annie. La flèche indique qu'il faut en descendre les marches. Et au bout...

— Nous tomberons sur quelques casiers de bonnes bouteilles, achève Mick en riant. Ton raisonnement est un peu simplet, ma petite Annie. Si le trésor était dans la cave, il y a belle lurette qu'on l'aurait découvert !

Annie, un peu vexée, réplique :

— C'est toi qui es simplet de penser que je crois ça, Mick ! Je me suis mal exprimée. Je voulais dire que, peut-être, cette flèche indique que le trésor est caché dans la cave... sous terre !

Claude hoche la tête.

— Je ne pense pas, dit-elle. Même ainsi, ce serait trop simple. Le sol d'une cave a trop souvent l'occasion d'être retourné, au cours des temps.

Elle fait une pause, hoche de nouveau la tête et poursuit :

— Je pense aussi que si quelqu'un avait trouvé jadis le trésor de Roquépine aux *Hautes-Roches*, la légende l'aurait mentionné peu ou prou. Ou, si cela s'était passé en des temps plus récents, les gens en auraient parlé. Le secret aurait plus ou moins transpiré... car comment camoufler une fortune subite ?

— Je pense comme toi, dit François. C'est même ce qui me persuade finalement que le trésor peut bien être encore là où le seigneur de Roquépine l'a caché !

— Et c'est pour cela que nous allons continuer à chercher avec ardeur ! s'écrie Claude, pleine de fougue.

Brûlant d'impatience, c'est bien avant l'heure du goûter que les jeunes détectives prennent le chemin de la ferme des Legallet.

Thierry et Véronique ont averti leur mère de la venue de Claude et de ses cousins. Aussi l'aimable femme, toujours soucieuse de contenter son monde, s'est-elle mise en quatre pour ses jeunes convives.

Dès leur arrivée, elle installe les Cinq dans le jardin de derrière, sous une tonnelle fleurie, et leur sert des rafraîchissements, des

brioches « maison » et des fraises à la crème. Les enfants invitent Thierry et Véronique à se joindre à eux.

Tout en se régalant, les six compagnons se mettent à bavarder à bâtons rompus. Soudain, Véronique annonce :

— Savez-vous que, cette année, mes parents ont pris des pensionnaires à la ferme pour l'été ? Ça n'a été qu'après bien des hésitations que papa s'y est résigné. Au fond, il n'y tenait pas tellement ! N'est-ce pas, Thierry ?

Le grand garçon acquiesce.

— C'est vrai ! dit-il. L'an dernier, les récoltes ont été mauvaises et, par ailleurs, père a dû emprunter d'assez fortes sommes pour moderniser la laiterie. C'est vous dire qu'en ce moment nous connaissons quelques embarras financiers. Cela n'a rien de honteux, d'ailleurs.

— Nous ne vous en aurions même pas parlé, reprend Véronique, si ce n'avait été cette question de pensionnaires. Vous auriez pu vous étonner de voir des étrangers chez nous.

— Ont-ils des enfants ? demande Annie, toujours prête à se lier d'amitié avec des jeunes de son âge.

Véronique sourit.

— Il ne s'agit pas d'une famille, explique-t-elle, mais de deux messieurs… deux amis qui prennent leurs vacances ensemble et que la région intéresse. Ils sont venus voir nos parents en leur déclarant qu'ils désiraient vivre au rythme de la ferme et mener un certain temps une véritable existence de campagnards. Papa a commencé par refuser, mais ils ont tellement insisté, en proposant une grosse somme pour leur pension complète, qu'il a fini par céder.

Un brusque soupçon vient à Claude.

— Ces deux hommes, demande-t-elle vivement, à quoi ressemblent-ils ?

— L'un est un grand blond, un colosse, mais qui paraît à moitié endormi. L'autre, au contraire, un petit brun qui ne cesse de parler, de grimacer et de s'agiter. Un vrai clown !

— Leblond et Lebrun ! s'exclame Claude.

— Vous les connaissez ? s'écrie Véronique, étonnée.

— Oh ! dit Mick. Disons que nous avons eu l'occasion de les rencontrer. Claude les a baptisés Leblond et Lebrun, d'après la couleur de leur chevelure.

Thierry se met à rire.

— En réalité, dit-il, le grand blond se nomme Émile Frijou et l'autre Bertrand

Leleur. Ils doivent s'installer à la ferme dès ce soir...

Les quatre cousins échangent un regard d'intelligence, mais, avant qu'aucun d'eux n'ait le temps d'ouvrir la bouche, on entend Mme Legallet appeler :

— Véronique ! Thierry ! Venez me donner un coup de main, s'il vous plaît !

De nouveaux arrivants se sont installés dans la pièce faisant office de « salon de thé » rustique et la fermière a besoin de ses enfants pour les servir... Les jeunes détectives mettent à profit l'absence de leurs compagnons pour délibérer.

— Écoutez ! fait vivement François. Je commence à croire que Claude avait raison... On trouve un peu trop souvent Leblond et Lebrun sur notre chemin.

— Sûr que c'est louche ! s'écrie Mick. Ils ont dû relever le cryptogramme du souterrain, comme nous, et sont en quête du dépôt des Templiers.

— Et ce n'est pas seulement un jeu pour eux ! grommelle Claude entre ses dents. Ils croient à l'existence du trésor... comme je commence moi-même à y croire pour de bon !

— Ils le cherchent vraiment ? demande Annie, inquiète.

— C'est de plus en plus probable, en tout cas, répond Claude. Il y a d'excellentes auberges, peu chères, à Kernach. Pourquoi ont-ils tant insisté pour prendre pension ici ?

— Parce qu'ils y seront à pied d'œuvre, parbleu ! s'écrie Mick. Ils ont déchiffré les dessins qui les ont conduits jusqu'aux *Hautes-Roches.* Mais ensuite ?... Quel malheur s'ils allaient nous devancer !

Claude serre les poings.

— Que cette course au trésor soit un simple jeu ou une affaire sérieuse, déclare-t-elle, nous devons la gagner ! Pour cela, il faut réunir tous les atouts dans notre main.

— D'accord ! soupire Mick. Mais comment ?

— Commençons par nous faire des alliés ! Mettons Véronique et Thierry dans la confidence. Après tout, ils ont le plus grand intérêt à ce que nous dénichions le trésor, s'il se trouve vraiment sur les terres de leur père ! Songez donc ! En tant que propriétaire, M. Legallet en recevrait la plus grosse part. Cela renflouerait joliment ses finances !

— Fameuse idée ! applaudit Mick. Et puis, étant sur place, Véronique et Thierry seront plus à même que quiconque de nous aider !

— Donc, on leur dit tout ?

— Parfaitement ! approuve François.

Thierry et Véronique reviennent en courant. Devant l'air grave des Cinq – car Dag, machinalement, prend exemple sur Claude – ils s'écrient ensemble :

— Qu'y a-t-il ?

— Asseyez-vous ! dit Mick avec un geste large. Nous avons une importante confidence à vous faire… !

chapitre 6

Déception pour les Cinq

Impressionnés par l'air solennel du jeune garçon, le frère et la sœur obéissent…

Quand les quatre cousins ont achevé leur récit, Thierry et Véronique mettent un moment avant de retrouver leurs esprits.

— En somme, résume le premier, vous pensez que le dépôt, confié par les Templiers au comte de Roquépine, existe toujours et se trouve enterré dans notre propriété.

— C'est une possibilité, en tout cas ! dit François.

Alors, à la grande surprise des jeunes détectives et à leur non moins grande joie, Véronique lâche à son tour une bombe !

— Eh bien, j'y crois, moi ! Et pour une bonne raison… C'est que, quand nous

étions petits, Thierry et moi, notre arrière-grand-mère nous a souvent raconté que sa grand-mère à elle avait entendu parler d'un trésor caché dans la région, peut-être même sur les terres appartenant depuis longtemps à la famille.

— C'est exact ! renchérit Thierry. Ces contes ont bercé notre enfance, mais nous n'y ajoutions pas plus de crédit qu'à n'importe quelle autre histoire inventée pour amuser les enfants.

— De toute manière, ni papa ni maman ne croient à la réalité d'un trésor ! déclare Véronique. Mais moi... je ne peux m'empêcher d'y rêver quelquefois.

— Et voilà que vous venez nous apporter de quoi renforcer la part de vérité contenue, peut-être, dans la légende ! ajoute Thierry. Mais, dites-moi... vous soupçonnez vraiment Frijou et Leleur de vouloir dénicher eux aussi le magot ?

— Nous le pensons en effet, admet Claude. Peut-être n'en font-ils qu'un jeu, comme nous au début... Peut-être, au contraire, espèrent-ils mettre la main sur une fortune cachée. De toute façon, maintenant que vous voilà au courant, vous êtes bien placés pour surveiller les faits et gestes

de vos « pensionnaires ». Ouvrez donc l'œil et tenez-nous au courant !

Thierry et Véronique promettent aux jeunes détectives de les seconder de leur mieux dans leur passionnante recherche. Le petit groupe se sépare là-dessus.

Les quatre cousins regagnent les *Mouettes* en pédalant avec ardeur. L'arrivée de Leblond et Lebrun – alias Frijou et Leleur – à la ferme des *Hautes-Roches* leur fait l'effet d'une menace. Dès leur retour à la villa, Claude et ses cousins voudraient bien discuter tranquillement de la situation. Mais aucun n'en a l'occasion…

En leur absence, de jeunes voisins sont venus les voir et les attendent au jardin. Une partie de cache-cache mobilise tout le monde et, pendant ce temps, le secret du château de Roquépine est oublié.

Ce soir-là, les enfants se couchent rompus, ce qui ne les empêche pas de rêver à des coffres débordant de richesses.

Le lendemain, les Cinq se réveillent pleins d'entrain.

— Que faites-vous, ce matin, mes enfants ? demande Mme Dorsel en souriant.

— Pour commencer, baignade et canotage ! répond Claude qui ne se lasse jamais des plaisirs de la mer.

Ses cousins sont d'avance tout acquis à ce programme… Après avoir ramé un moment, Mick, affichant des airs de conspirateur, rentre ses avirons et, se penchant en avant :

— Alors ? questionne-t-il. Où en sommes-nous de notre mystère ? Y avez-vous réfléchi cette nuit ?

— Oui, acquiesce François. Et je pense que nos rivaux sont sur la bonne piste.

— Moi, soupire Claude, je suis à la fois contente et inquiète. Contente parce que, si Leblond et Lebrun suivent la même voie que nous, il y a des chances pour que la piste soit bonne, comme tu dis, mon vieux.

— Et inquiète pourquoi ? interroge Annie.

— Eh bien… j'avoue que c'est peut-être une laide pensée, mais l'idée m'est venue que, si par hasard ils dénichaient le trésor avant nous, ils pourraient fort bien se l'approprier !

— Ma foi, dit Mick, c'est une hypothèse à envisager. Ça ne fait de mal à personne.

— En outre, continue Claude, nos deux fouineurs étant désormais sur les lieux, ils sont plus favorisés que nous.

— Conclusion, résume François. Nous devons presser le mouvement !

— Et aboutir avant eux ! précise Mick. La flèche dirigée vers le bas indique qu'il faut commencer par descendre…

— Donc, enchaîne Annie qui tient à son idée première, faisons des fouilles dans le sous-sol de la ferme !

— On t'a déjà fait remarquer qu'il avait dû être tourné et retourné au cours des siècles.

— Cependant… en dehors du sous-sol… où peut-on bien descendre ?

— On peut toujours commencer par là, estime Claude. Allons donc voir sur place ! Thierry et Véronique nous aideront. Après tout, ils sont en vacances comme nous et ont tout intérêt à trouver le trésor pour renflouer les finances paternelles. Allez, Mick ! Reprenons les avirons et souquons dur ! On rentre.

Les Cinq, ayant décidé de retourner aux *Hautes-Roches* le plus tôt possible, se mettent en route après le déjeuner.

Thierry et Véronique les accueillent avec joie. La seule perspective d'une chasse au trésor fait briller leurs yeux.

— Par où pensez-vous commencer ? demande Thierry.

— Par l'examen du sous-sol de la ferme ! répond François. Mais il faudra sans doute demander la permission à ton père !

Mis dans la confidence, M. Legallet éclate de rire.

— Cette histoire de trésor est ridicule, déclare-t-il. Mais si cela vous amuse de fouiller les caves, je n'y vois pas d'inconvénient, à condition que vous n'y mettiez pas de désordre.

Et il s'éloigne, toujours riant. Claude n'est pas très contente. Le scepticisme du fermier la vexe. Elle regrette presque de l'avoir mis au courant de leurs projets.

— Pourvu qu'il ne dise rien à vos deux pensionnaires ! soupire-t-elle, inquiète.

— Rassure-toi, dit Véronique. Papa n'est pas du genre bavard. Allez, viens ! Descendons !

Les caves de la ferme s'étendent, non seulement sous la maison d'habitation, mais sous les dépendances. Toutes sont propres, aérées, bien tenues, mais encombrées d'objets divers. Les jeunes enquêteurs s'intéressent surtout aux plus anciennes. Hélas ! c'est en vain qu'ils en sondent le sol et les murs. Nulle part cela ne sonne creux, nulle part ils ne découvrent le plus petit indice pour les guider.

La fin de l'après-midi arrive sans qu'ils aient obtenu le moindre résultat. Thierry et

Véronique sont déçus, Annie à bout de forces, François, Mick et Claude couverts de poussière. Dag lui-même a, au bout du museau, une toile d'araignée qui le fait éternuer.

— Chou blanc ! soupire Mick, résumant ainsi l'opinion générale.

— Alors ! On abandonne ? murmure timidement Véronique.

— Jamais de la vie ! s'écrie Claude avec force. Nous avons une flèche indiquant qu'il faut descendre, et nous descendrons.

— Oui... mais où ?

— Tu es sûre de nous avoir montré le sous-sol en entier ?

— Heu..., fait Véronique. Il y a bien encore l'ancien puits ! Il est à sec. Mais ce n'est pas un « sous-sol », ça !

— Bien sûr que si ! affirme Mick, puisqu'il se trouve au-dessous du sol ! Allons ! Venez, vous autres ! Un dernier effort !

Sur les conseils de François, Thierry se munit d'une forte corde et d'une lampe électrique.

— Pourquoi une lampe ? demande Annie. Il fait encore jour !

— Oui, mais, au fond du puits, on y verra moins clair, tu peux en être sûre.

Le puits se trouve derrière la ferme. François, après s'être attaché la corde autour

du corps, demande aux autres de le descendre lentement. Pour plus de précaution, l'autre extrémité de la corde est fixée à un arbre voisin.

Tout en descendant, le grand garçon examine les parois du puits à l'aide de sa torche électrique. Soudain, il pousse une exclamation : il vient de repérer une flèche blanche, dirigée vers le bas.

— Eurêka ! crie-t-il. Je crois avoir trouvé quelque chose Laissez-moi filer jusqu'au fond. Je suis sur la bonne voie !

Hélas ! Une fois au fond du puits, François doit déchanter. Il trouve d'autres flèches et s'aperçoit qu'elles ont été tracées à l'aide d'une peinture blanche très moderne, sans doute par les ouvriers qui ont curé la fosse et auxquels elles servaient de point de repère quelconque.

Par acquit de conscience, François sonde le sol et les parois, à l'aide d'un marteau sans rien trouver, hélas ! Ce travail l'exténue. Il remonte bredouille. Ses compagnons et lui se montrent fort dépités de leur échec. C'est dans un morne silence que, ce soir-là, les Cinq rentrent chez eux…

Le lendemain, pourtant, remis de leur fatigue et ayant retrouvé leur fougue habituelle, ils

repartent pour la ferme avec entrain. Installés dans le jardin de derrière, ils tiennent conseil avec les jeunes Legallet auxquels Claude déclare :

— Nous devons chercher encore, et plus minutieusement. La fortune de votre père dépend peut-être de notre acharnement à découvrir ce fameux trésor... À cœur vaillant, rien d'impossible ! ajoute-t-elle dans une grande envolée lyrique.

Un éclat de rire, derrière elle, la fait redescendre sur terre... Elle aperçoit... Leblond et Lebrun. C'était celui-ci qui riait !

— Alors, les gosses ? On joue au grand jeu du trésor, n'est-ce pas ? Amusant, ça ! Mais il y a peu de chances que vous le découvriez... après tout ce temps, pensez ! Et puis, ça peut être dangereux !

Les quatre cousins se regardent.

Pour la première fois, la bonne humeur de « Lebrun » semble factice. Pour la première fois, aussi, il fait ouvertement allusion à la chasse au trésor, par ailleurs, il semble vouloir décourager les enfants dans leur quête. Enfin, la lueur dangereuse qui brille dans son regard laisse deviner en lui un adversaire.

Dag lui-même paraît considérer l'individu avec des yeux nouveaux. Il a l'air de penser :

« Tiens, tiens ! Coquin ! Tu n'es pas du tout, au fond, le brave homme que j'imaginais ! » Mais il se contente de manifester son sentiment par un « Ouah ! » sonore.

Les deux hommes s'éloignent déjà. Mick serre les poings.

— Flûte ! Ils ont entendu notre conversation.

— Au moins, s'écrie Claude, nous savons maintenant à quoi nous en tenir ! Avez-vous remarqué la menace contenue dans ses paroles ? Et ce ton... ce regard...

— Ainsi, sa bonhomie était feinte ! soupire Thierry. Dire que je le trouvais plutôt sympa, ce gars-là !

— Nous voici donc avec deux adversaires sur les bras ! résume François. La situation est nette.

— Allons ! dit Mick en se levant d'un bond. Ne perdons plus de temps ! Au travail, mes amis !

Hélas ! Cette journée apporte deux autres déceptions aux jeunes détectives. Ils la consacrent à explorer, plus en détail que la veille, les deux caves principales de la ferme. C'est en pure perte. Première déception ! La seconde est causée par une manœuvre sournoise de Leblond et Lebrun.

chapitre 7

Leblond et Lebrun passent à l'attaque

Comme, dans l'après-midi, les enfants interrompent leurs recherches pour goûter sous la tonnelle fleurie, Mme Legallet s'approche d'eux.

— Demain, annonce-t-elle aux Cinq en déposant sur la table un appétissant plateau, Thierry et Véronique ne pourront pas jouer avec vous, mes jeunes amis !

— Première nouvelle ! s'écrie Thierry en ouvrant de grands yeux. Pourquoi cela ?

— Parce que votre père a décidé de vous faire embaucher à la laiterie des Roncier pour le restant de vos vacances. Les temps sont durs pour nous, vous le savez, et je peux suffire ici avec Janette, notre employée.

Alors en dépannant nos amis Roncier qui sont à court de personnel, vous dépannez en même temps votre père, vous comprenez ! Lui-même, le pauvre, travaille comme quatre en ce moment !

— Mais, s'écrie Véronique, ébahie, papa ne nous a encore parlé de rien !

— Oh ! La chose s'est conclue rapidement. Votre père ne songeait pas à vous laisser partir mais c'est MM. Frijou et Leleur qui lui en ont soufflé l'idée : « Vos enfants seront tout fiers de vous rapporter un peu d'argent, ont-ils dit. Et cela les amusera puisque les petits Roncier travailleront avec eux. »

Thierry et Véronique ne sont pas fâchés de la décision paternelle mais, quand leur mère s'est éloignée, Claude éclate :

— Vous avez compris la manœuvre ? s'écrie-t-elle. Ces deux misérables veulent vous éloigner d'ici ! Ils pensent que, sans votre aide, nous aurons moins de chances de découvrir la cachette du trésor !

— Ça m'en a tout l'air ! admet Thierry. La seule chose qui me console, c'est que le trésor n'existe peut-être pas !

— Mais s'il existe, s'empresse d'ajouter Véronique, je suis sûre que vous finirez par le dénicher, même sans nous !

Néanmoins, le coup est rude pour les Cinq. Les jours suivants, privés du concours des jeunes Legallet, ils ne font aux *Hautes-Roches* que des apparitions irrégulières. Les recherches, continuées avec moins d'enthousiasme, n'aboutissent toujours pas. Les quatre cousins passent le reste du temps à jouer...

Et puis, un soir, il se produit un événement étrange... Les Cinq reviennent justement de la ferme... Pour rejoindre la route, les jeunes cyclistes ont coutume de prendre par un petit chemin creux, qui descend en pente assez raide et où il fait plutôt sombre.

Annie, qui pédale en tête, jette soudain un cri d'effroi. Sa machine vient de rencontrer un obstacle invisible et s'est arrêtée brutalement. La petite fille s'envole par-dessus son guidon et atterrit dans un fossé plein d'orties.

Déjà, ses frères et Claude, ayant mis pied à terre, se précipitent pour la secourir.

— Annie ! Tu n'as rien de cassé, au moins ?

— Donne-moi la main. Je vais te tirer de là !

— Tu es joliment arrangée, ma pauvre !

Annie ne peut retenir ses larmes. En plus de larges écorchures provoquées par sa chute, elle souffre de mille piqûres urticantes dues aux orties. Mais il y a pire...

— Ma cheville ! dit-elle gémissant. Oh ! Ma cheville !

François, consterné, s'aperçoit que sa petite sœur ne peut marcher sans souffrir : elle s'est foulé la cheville, celle-ci enfle déjà. Il conseille vivement :

— Monte sur le cadre de ma bicyclette. Je vais te ramener aux *Mouettes* en un rien de temps. Tante Cécile te fera des compresses qui te soulageront, tu verras !

— Et ne t'en fais pas pour ton vélo, ajoute Mick. Je m'en charge. Allez ! Tu viens, Claude ?

Mais Claude, plantée devant un des solides arbustes bordant le chemin, ne répond pas. Elle est occupée à regarder quelque chose. Dag, à côté d'elle, flaire le sol.

— Qu'y a-t-il ? demande Mick en se rapprochant.

— Tiens ! fait simplement Claude. Regarde !

Le jeune garçon s'aperçoit alors qu'une ficelle est attachée au tronc mince mais résistant de l'arbuste. Une bonne longueur de la ficelle, qui s'est rompue sous le choc, traîne à terre.

— Regarde ! fait encore Claude en traversant le chemin et en montrant un second arbuste qui faisait vis-à-vis au premier. L'autre

extrémité de la corde était attachée ici. Comprends-tu ce que cela signifie ? Quelqu'un a tendu une ficelle dans ce chemin pour faire tomber le premier qui passerait.

François, qui a entendu, grommelle :

— Quelle plaisanterie stupide ! Annie aurait pu se blesser sérieusement !

Claude le regarde d'un air pensif.

— Je ne crois pas, dit-elle, qu'il s'agisse d'une simple farce. Quand nous revenons de la ferme, nous passons toujours par ce raccourci. On a pu le remarquer et tendre la ficelle au bon moment… pour éliminer l'un de nous…

Mick dévisage sa cousine, bouche bée.

— Tu veux dire… Leblond et Lebrun ?…

Il ne s'exprime pas plus clairement, mais tous ont compris.

— Parfaitement, acquiesce Claude. Ils nous ont déjà privés de deux précieux auxiliaires en éloignant Thierry et Véronique. À présent, j'ai idée qu'ils essaient de se débarrasser de nous pour avoir finalement les mains libres et chercher tranquillement le trésor des Templiers, sans risque de concurrence !

François se met à rire, d'un rire un peu nerveux.

— Ton imagination galope une fois de plus, Claudinette ! Ce n'est pas parce qu'un mauvais plaisant a tendu une ficelle entre deux arbres qu'il faut accuser d'emblée Frijou et Leleur !

Claude a horreur d'être appelée Claudinette. Elle fait une grimace à son cousin et, haussant les épaules, réplique :

— Pense ce que tu voudras ! Moi, je crois ce que je crois. Je voudrais bien me tromper, remarque ! Mais quelque chose me souffle que j'ai deviné juste !

Tandis que François démarre, emportant Annie sur son cadre, Mick et Claude se remettent en selle.

— Je suis de ton avis, tu sais, Claude ! soupire Mick. Ces deux bonshommes, qui semblaient si sympathiques au début, me font l'effet d'adversaires peu commodes ! Ouvrons l'œil, ma vieille ! Ils peuvent encore nous réserver des surprises !

Une fois aux *Mouettes*, Annie, pansée par sa tante, se voit momentanément condamnée à l'immobilité… Allongée sur le divan, elle est servie comme une reine tout au long du dîner.

— Après une bonne nuit, lui dit tante Cécile, tu iras beaucoup mieux, ma chérie.

Mais il est probable que tu ne pourras pas marcher pendant un jour ou deux. Et il faudra attendre davantage encore avant de te remettre à pédaler !

Le lendemain matin, Claude et Mick tiennent compagnie à Annie, étendue sur une chaise longue, au jardin, tandis que François se charge d'aller faire les commissions de sa tante...

Le grand garçon, un peu assombri par l'accident de sa sœur, part à bicyclette pour Kernach. Le marché, pittoresque et animé à son ordinaire, lui paraît moins gai du fait qu'il y est seul. Et puis, Thierry et Véronique, retenus à la ferme des Roncier, ne sont pas là pour lui changer les idées. Il achète des œufs et du beurre à Janette, l'employée des Legallet, qui tient l'étalage à la place des enfants de ses patrons.

— Les autres ne sont pas venus avec vous ? demande-t-elle.

François lui apprend l'accident d'Annie, en taisant les soupçons de Claude. Janette s'exclame :

— En voilà une farce idiote ! Quelqu'un a dû tendre cette ficelle juste avant votre départ de la ferme. Je suis sûre du moment, parce que j'ai vu M. Frijou et M. Leleur

déboucher de ce sentier peu de temps avant. S'ils avaient eu leur route barrée par la ficelle, ils en auraient parlé ! Et puis, ils l'auraient enlevée !

« Au contraire, pense tout bas François, il y a bien des chances pour que ce soit eux qui l'y aient mise ! Claude ne s'était donc pas trompée ! »

Après avoir pris congé de Janette, il se hâte d'aller retrouver Mick, Claude et Annie pour les mettre au courant de sa découverte.

— Ça ne m'étonne pas ! s'écrie Mick. Ces tristes individus ne cachent même plus leur jeu ! Sais-tu ce qu'ils ont fait en ton absence ? Ils ont lancé une boulette à Dago, à travers la grille du jardin !

— Heureusement, enchaîne Claude, outrée, que mon chien est intelligent. Au lieu de se laisser tenter par la viande, il s'est mis à aboyer comme un furieux, sans y toucher. Nous sommes arrivés en courant, juste à temps pour voir ces deux misérables disparaître au prochain tournant. Et ne me demande pas si la boulette était empoisonnée. Je l'ai portée à papa. Il lui a suffi de l'ouvrir et de la flairer pour en être sûr !

— Ce sont des lâches ! gronde François. Ils s'en sont pris d'abord à Annie et maintenant

à Dag… Au fait, qu'a dit oncle Henri à propos de cette boulette ? Tu lui as parlé de Lebrun et Leblond ?

— Penses-tu ! proteste Claude. Je m'en serais bien gardée ! Il serait intervenu et nous n'aurions plus eu les mains libres.

— Tout de même, soupire François en hochant la tête. Il va falloir nous montrer très prudents. Ces gaillards-là ont décidément jeté le masque et ils ne reculent pas devant les grands moyens.

— Et moi, je ne reculerai pas devant eux ! jette Claude. Je vengerai Dago ! Du reste, il est très capable de se venger lui-même. Ces bandits n'ont qu'à bien se tenir !

Elle est dans une telle fureur que ses cousins ont du mal à la calmer. Enfin, elle s'apaise.

— N'empêche que la guerre est bel et bien déclarée ! conclut Mick. Nous savons à présent que ces hommes sont dangereux. Il faudra veiller au grain désormais.

Le lendemain, Annie va mieux, mais est encore immobilisée. François, comme la veille, se propose pour faire seul les courses.

— Cet après-midi, dit-il à Claude et à Mick, c'est moi qui resterai auprès d'Annie pour la distraire, pendant que vous irez vous promener !

Le grand garçon se met en selle d'un bond et part pour Kernach d'où il doit rapporter deux poulets commandés par Maria. Une fois sa commission faite, il file à bonne allure sur le chemin du retour quand, soudain, un chien débouche d'une haie et se précipite sous ses roues. François, pour l'éviter, braque sur la droite en freinant à mort. Alors, à sa grande horreur, il s'aperçoit que ses freins ne répondent plus…

Avant qu'il se rende compte de ce qui lui arrive, il se retrouve dans le fossé, comme Annie l'avant-veille !

Par bonheur, il a eu plus de peur que de mal. Mais sa fureur grandit encore quand, ayant examiné son vélo, il s'aperçoit que le câble de son frein a été limé presque à fond. À la première sollicitation, il devait se rompre, c'était inévitable ! François a été victime, non d'un accident, mais d'un véritable attentat !

Il revient aux *Mouettes,* fou de rage, pour mettre les autres au courant de son aventure.

— Encore Leblond et Lebrun ! s'écrie-t-il. Il faut prévenir l'oncle Henri !

Claude se met à rire, d'un rire sans joie.

— Toi qui disais que je laissais courir mon imagination, voilà que tu accuses sans preuves, maintenant !

— Des preuves ! Comme s'il m'en fallait ! s'exclame François. Janette a vu déboucher ces hommes du chemin creux, juste avant la chute d'Annie ! Hier, ils ont tenté d'empoisonner Dag, et aujourd'hui ils ont saboté mon vélo pendant que j'étais chez le marchand de volaille. Je l'avais laissé dans une petite ruelle, tout à côté. Ces bandits en ont profité !

— Mais tu ne peux pas le prouver ! répète Claude. Et, faute de preuves, papa ne pourra rien faire contre eux. Son accusation tomberait à plat ! Laisse donc mon père à ses travaux et ne va pas tracasser maman qui se ferait du souci. Défendons-nous nous-mêmes ! Après tout, les Cinq sont assez forts pour se débrouiller seuls ! Dès qu'Annie sera sur pied, nous retournerons aux *Hautes-Roches* et nous trouverons le trésor.

— Si ces gredins ne l'ont pas déniché avant ! soupire Mick.

— Bah ! J'ai confiance dans notre étoile et dans mes pressentiments ! déclare Claude.

Elle parle avec une telle conviction que ses cousins s'en trouvent réconfortés.

chapitre 8

Annie a une idée

Dans l'après-midi, Mick et Claude laissent François disputer une partie de dames avec Annie pour se rendre sur la plage. Les deux cousins ont décidé de faire de la plongée sous-marine. À leur suite, Dago, tout heureux de la sortie, bondit à bord du *Saute-Moutons*, qui s'éloigne bientôt du rivage, sous la vigoureuse poussée des avirons.

— Je connais un coin épatant ! dit Claude tout en ramant. C'est assez loin, mais il y a des fonds splendides. On pourra voir un tas de jolis poissons.

— N'y a-t-il pas trop de fond pour jeter l'ancre ? demande Mick.

— Non, juste assez, tu verras !

Arrivés à l'endroit choisi par Claude, Mick mouille l'ancre. Puis les deux cousins se hâtent de revêtir leur tenue de plongée, cadeau de M. Dorsel. Chaque équipement comprend un petit réservoir d'air. Bref, les enfants peuvent nager assez longuement sous l'eau sans avoir à remonter.

Claude et ses cousins ont en horreur la cruelle chasse sous-marine. Au lieu de tuer les animaux qu'ils rencontrent, ils préfèrent les admirer et les voir évoluer dans un décor féerique. Cette fois encore, Mick et Claude, après avoir plongé, se laissent aller à la griserie du moment.

Ils glissent entre les algues, contournent des rochers sombres, dispersent des bancs de petits poissons argentés, font onduler au passage des anémones roses et mauves...

Enfin, le sourire aux lèvres, ils remontent à la surface. Un cri de stupeur leur échappe alors : leur canot a disparu ou, plutôt, ils l'aperçoivent, là-bas, assez loin d'eux, emporté vers le large par un courant rapide.

— Ce n'est pas possible ! bégaie Mick après s'être vivement débarrassé de son masque. Je l'avais pourtant bien ancré !

— Et Dag ? hurle Claude. Dag est resté à bord !

Mais non ! Un aboiement lui fait tourner la tête. Elle aperçoit Dag qui nage dans sa direction, tout près d'elle. Il tient dans sa gueule la moitié d'une manche de veston !

Mick, de son côté, a repéré un canot à moteur qui s'éloigne à vive allure, fonçant vers le lointain rivage. Deux hommes l'occupent et, bien qu'on ne puisse distinguer leurs traits à pareille distance, les enfants devinent en un clin d'œil qui ils sont et ce qui vient de se passer…

Montés à bord du canot à moteur, Leblond et Lebrun, surveillant les deux cousins à l'aide de jumelles, ont attendu qu'ils aient plongé. Alors, ils se sont rapidement approchés du *Saute-Moutons* et ont détaché la chaîne de l'ancre, non sans essuyer les redoutables crocs de l'adversaire. Leur coup fait, ils se sont enfuis. Le *Saute-Moutons,* entraîné par le courant, laisse les enfants sans autre solution que de rentrer à la nage s'ils en ont la force !

— Les misérables ! s'écrie Mick. Si nous évitons la noyade, ce ne sera pas leur faute !

— En tout cas, Dag ne les a pas ratés ! J'espère qu'avec la veste, il a mordu ce qu'il y avait dessous ! Mais, dans la lutte, il a dû tomber à l'eau et les autres en ont profité pour filer pleins gaz. En tout cas, ces deux

fripouilles ne perdent rien pour attendre ! Mick ! Dag ! Courage ! Droit à la côte ! On rentre !

Par bonheur, un petit bateau de pêche vient au secours des trois naufragés avant qu'ils aient effectué la moitié de la distance à parcourir. Mick se hisse à bord avec soulagement : ses forces commençaient à diminuer. Claude et Dago eux-mêmes avaient du mal à se maintenir à la surface.

Les marins poussent la complaisance jusqu'à rattraper le *Saute-Moutons* et à le prendre en remorque.

— Pas étonnant qu'il ait pris la poudre d'escampette ! constate l'un des pêcheurs. La chaîne de l'ancre s'est décrochée. C'est même la première fois que je vois ça ! Curieux !

Claude et Mick échangent un regard d'intelligence : ils savent à quoi s'en tenir. Hélas ! Cette fois encore, ils ne possèdent aucune preuve tangible de la culpabilité de Frijou et Leleur !

Ce soir-là, après avoir délibéré entre eux et commenté l'événement, les quatre cousins décident que, comme pour « l'accident » de François, on passera sous silence l'aventure de Claude et de Mick.

— Ces gens sont des assassins ! murmure Annie, frissonnante.

— Je ne le pense pas, dit François. Plutôt des gens malfaisants qui veulent seulement nous effrayer et nous décourager afin que nous abandonnions nos recherches.

— Je suis de ton avis, déclare Mick. Leblond et Lebrun ne souhaitent pas notre mort. N'empêche qu'ils poussent un peu loin leurs tentatives d'intimidation !

Annie, cependant, se rétablit vite. Dès qu'elle est « sur ses deux pieds », les Cinq reprennent leurs investigations avec une ardeur décuplée... Leur réapparition aux *Hautes-Roches* est saluée par le sourire des fermiers et les regards malveillants de leurs deux pensionnaires. Mais les jeunes détectives sont bien décidés à ne pas se laisser impressionner. Ils se tiennent pourtant sur leurs gardes.

Agissant avec diplomatie, ils semblent avoir abandonné leur chasse au trésor et ne venir à la ferme que pour goûter. C'est sans doute habile ! Malheureusement, Leblond et Lebrun rôdent autour d'eux, ce qui leur lie les mains. Il faut sortir de cette impasse… Un soir, pour la centième fois peut-être, ils se penchent sur le cryptogramme pour l'étudier.

— Vous savez ! commence timidement Annie. Pendant que j'étais immobilisée je n'ai pas cessé de penser à la flèche descendante et au signe qui vient après… Cela m'a donné une idée…

— Je ne vois pas en quoi ce petit vermisseau qui semble ramper sur le sol a pu t'inspirer ! soupire Mick.

— À moins que ce dessin ne nous suggère une chasse au serpent ! plaisante François.

— Ou ne nous invite à piquer une tête dans la mer ! dit Claude. Après tout, cette ligne qui ondule à l'horizontale peut très bien représenter de l'eau !

— C'est ce que je pense, en effet ! déclare gravement Annie en soulignant du doigt le signe faisant suite à la flèche. De l'eau !

— Mais il n'y a pas d'eau sous la ferme ! proteste Mick.

— Si ! insiste Annie. Dans la vieille citerne !

François, Mick et Claude se regardent d'un air ahuri.

— La citerne ! répète Claude. Tu veux dire ce vieux truc qui se trouve dans la grande cour, près des étables ?

— Mais oui ! Pourquoi pas ? On descend, on trouve l'eau et… on découvre le coffre au trésor. Car l'avant-dernier dessin ne peut

que représenter le dépôt des Templiers, qu'en pensez-vous ?

— Annie a raison ! s'écrie François. Nous n'avions pas considéré la citerne comme un « sous-sol » car elle contient de l'eau, mais cette sinusoïde prouve que nous avions tort !

— Cette sinu... quoi ? demande Annie, effarée.

— Cette ligne ondulante, si tu préfères. Oh ! Annie ! Tu es un grand détective ! On devrait te décorer de la médaille d'honneur en chocolat !

Au milieu de l'enthousiasme général, les quatre cousins dressent un plan d'action...

— Pas question d'opérer de jour ! déclare Claude. L'adversaire n'aurait qu'à nous emboîter le pas... ou nous neutraliser ! Nous explorerons donc la citerne de nuit !

— Hum ! commence François, qui a des scrupules. Mon oncle ne nous donnerait certainement pas la permission s'il savait...

— Aussi, nous ne la lui demanderons pas ! coupe Mick. En somme nous ne faisons rien de mal... au contraire ! Si nous réussissons, n'oublie pas que ce brave M. Legallet y trouvera son avantage !

— Cependant, objecte Annie, il peut y avoir du danger...

— « À vaincre sans péril, on triomphe sans gloire ! » chantonne Claude qui n'a jamais peur de rien. Du reste, ce n'est pas toi qui descendras dans la citerne mais moi seule !… Ne proteste pas, François ! Tu as exploré le puits. À chacun son tour, mon vieux ! Cette nuit, donc, grande expédition aux *Hautes-Roches.* D'accord, Dag ?

— Ouah ! fait celui-ci d'un air convaincu.

chapitre 9

Le passage secret

Cette nuit-là, quand la villa est endormie, les Cinq se relèvent sans bruit et, dûment équipés de cordes et de lampes, s'élancent, à grands coups de pédales, vers l'aventure qui les attend…

Les jeunes détectives n'ont aucune peine à pénétrer dans la cour des Legallet. Les chiens, qui connaissent bien les enfants et Dag, n'aboient même pas. Leblond et Lebrun doivent dormir, comme les autres occupants de la ferme.

— Nous voilà à pied d'œuvre, murmure François en s'arrêtant devant la citerne. Commençons par ôter le couvercle…

La chose est rondement menée. Penchés sur la margelle de l'antique réservoir, les Cinq plongent leurs regards à l'intérieur.

— Il y a de l'eau, mais seulement tout au fond ! dit Annie.

— Oui, acquiesce Mick. Cette citerne n'est plus utilisée, je crois... Il faut descendre... chic ! J'aperçois des crampons. Ils forment une sorte d'échelle. Fais bien attention, Claude ! Ils sont peut-être rouillés et ne supporteront pas ton poids.

— Bah ! fait Claude. Je vais attacher cette corde autour de ma taille, comme François l'autre jour. Ce sera une précaution rassurante. L'autre extrémité sera fixée à la citerne même !

Quand Claude est prête, elle commence à descendre prudemment. Ses cousins l'éclairent de leurs torches et ne la quittent pas des yeux. Dag, inquiet, la regarde lui aussi.

— Ça va ! souffle la jeune exploratrice. Les crampons tiennent bon ! Ils sont solides !

Soudain, ses cousins la voient s'arrêter et allumer la petite lampe électrique qu'elle a accrochée en sautoir à son cou pour observer de près une portion de la paroi circulaire, au niveau de sa tête.

— Ohé ! appelle-t-elle au bout d'un moment. Il y a là un orifice... juste assez large pour qu'on puisse s'y introduire en rampant.

Je me demande s'il s'agit d'un passage... et où il conduit. Attendez ! Je vais voir !

— Sois prudente ! lance François en se penchant davantage.

Mais, déjà, on n'aperçoit plus que les pieds de Claude en train de disparaître dans le trou... Mick donne du mou à la corde qui se met à filer par à-coups, suivant la progression de Claude. Puis elle s'immobilise.

Du temps passe... Claude doit explorer sur place. N'y tenant plus, Mick, impatient, finit par tirer la corde à lui. À son grand effroi, elle ne lui oppose aucune résistance Bientôt, son extrémité apparaît libre... Claude a disparu !

François, Mick et Annie se regardent avec angoisse. Qu'est devenue leur cousine ? Pourquoi s'est-elle détachée ? Que lui est-il arrivé ?

— Claude ! bégaie Annie dans un sanglot.

— Je vais la chercher ! décide François.

Déjà il attache fermement la corde autour de lui quand une tête brune jaillit de la citerne...

— Coucou ! C'est moi !... Oh ! Vous vous tracassiez ? La bonne blague ! Cette corde me gênait. Alors, je m'en suis débarrassée voilà tout !... Si vous saviez ce que j'ai découvert !

— Claude ! s'écrie François en colère.

— Tut, tut ! François ! Tu me gronderas plus tard. Écoutez plutôt… !

Et Claude révèle à ses cousins que le boyau partant de la citerne est un passage en maçonnerie, très praticable. Il descend jusqu'à une grotte de la côte.

— Quel rapport avec le trésor des Templiers ? dit Mick, déçu. Ce souterrain devait servir jadis d'issue secrète par où les gens du château pouvaient s'enfuir en cas d'attaque de l'ennemi, c'est certain. Une grotte ! Tout le monde peut y accéder de la mer ou par la plage !

— Je suis d'accord avec toi ! répond Claude. Mais peut-être y a-t-il une cachette à l'intérieur… je dirais même qu'il doit y en avoir une. Sinon, pourquoi le cryptogramme l'indiquerait-il ?

— Il indique la grotte ? demande Annie, sceptique.

— Pas exactement. Mais la flèche montre qu'il faut descendre dans la citerne et la ligne ondulante désigne, elle, non l'eau du fond de la citerne, mais bien les vagues de la mer, comme je l'avais pensé tout d'abord. Le trésor est donc à proximité de la mer.

— Je veux bien, admet François. Mais as-tu réussi à situer la grotte en question ?

— Oui ! s'écrie Claude, triomphante. Et je vous y conduirai demain, directement, sans que nous ayons besoin de repasser par ici !

Ce soir-là, enfin, les enfants se couchent satisfaits, avec le sentiment de la victoire toute proche. Le lendemain, fatigués par leur nuit écourtée, ils se lèvent plus tard que de coutume mais animés d'un entrain nouveau.

— Nous allons prendre le *Saute-Moutons* et nous rendre à la grotte au trésor ! décide Claude.

— Ne te hâte pas de la baptiser ainsi ! dit François. Tu oublies que bien des gens sont passés par là avant nous !

— Bah ! fait Mick dont rien ne peut entamer le moral depuis qu'il a une piste à suivre. Il faut avoir confiance ! Après tout, même si nous n'avions qu'une chance de retrouver la fortune des Templiers, il faudrait la tenter !

Quelques instants plus tard, le *Saute-Moutons* longe la côte en direction de la fameuse grotte repérée la veille par Claude. Tandis que Mick et sa cousine rament, François observe l'horizon et Annie explique à Dagobert qui l'écoute gravement :

— Tu comprends, Dag ! Le dessin qui vient après les vagues de l'océan représente le coffre contenant le trésor de Roquépine.

Et le dernier signe… le trait horizontal… ma foi, ce doit être le sol sur lequel repose le coffre en question !

François sourit. Il pense qu'il serait trop beau de trouver le coffre aussi facilement ! Il réfléchit… Sans doute la grotte renferme-t-elle une cachette très secrète !

— Attention ! lance Claude. Nous arrivons !

Du geste, elle désigne, parmi les rochers de la côte, une caverne sombre, grossièrement arrondie en dôme, qui s'ouvre sur une jolie plage de sable fin.

— J'ai calculé que la mer ne serait pas haute avant deux bonnes heures ! continue-t-elle. Cela nous laisse le temps de fouiner pas mal de côté et d'autre.

— En nous y mettant tous, c'est bien le diable si nous ne découvrons pas un indice quelconque ! s'écrie Mick.

— Ouah ! fait Dagobert en signe d'approbation.

Mick mouille l'ancre du *Saute-Moutons.* Ce faisant, il déclare à sa cousine :

— Tu sais ! Je regrette l'ancre et la chaîne que nous avons perdues au large par la faute de nos ennemis. L'ancre, passe encore ! La nouvelle fait aussi bien l'affaire ! Mais la chaîne…

— Il m'a été impossible d'en trouver une qui me convienne, dit Claude. Il faudra que j'aille voir en ville ! En attendant, nous devons nous contenter de cette corde. Mais elle est solide. Ne t'en fais pas !

Les Cinq sautent sur le sable et, lampe électrique au poing, entrent dans la « grotte au trésor »... Elle est plus vaste et plus profonde qu'ils ne l'ont supposé. Le sol s'élève en pente douce, assez profondément au cœur de la falaise.

— Nous voici avec du pain sur la planche ! constate François. Allons ! Au travail !

En garçon méthodique qu'il est, il attribue à chacun une portion de la caverne à explorer. L'examen des lieux promet de n'être guère facile avec ce sol déclive, que les algues rendent glissant.

Claude montre à ses cousins, à bonne distance au-dessus du sol, l'orifice du boyau partant de la citerne.

— Je pense, dit-elle, qu'à marée haute la mer doit atteindre le passage et même l'envahir en partie. C'est tapissé d'algues humides, là-haut !

Les jeunes détectives se mettent sérieusement à leur travail d'exploration.

Au fur et à mesure, ils s'enfoncent davantage à l'intérieur de la grotte. Annie sonde

les parties basses, Claude et Mick les parties plus hautes. François, étant le plus grand, se réserve les « étages supérieurs ». À un certain moment même, intrigué par une fissure du roc située bien au-dessus de lui, il prie Mick de lui faire la courte échelle pour l'inspecter sans résultat, d'ailleurs.

Le temps passe et les quatre cousins s'acharnent à découvrir, dans cette mystérieuse grotte, une faille quelconque qui leur révélerait une cachette ou un second boyau secret. En vain, hélas !

Dag lui-même flaire le sol, grattant parfois les rochers à sa portée, mais ne réussissant qu'à déloger des armées de petits crabes jaunes.

Soudain, alors que les deux garçons et Claude sont très loin au fond de la grotte, Annie, restée plus près de l'entrée, pousse un cri d'alarme :

— Regardez ! L'eau monte ! Et rapidement, encore…

— Flûte ! jette Mick. Nous avons oublié l'heure… et la marée.

— Rentrons vite à la maison ! ordonne François.

chapitre 10

Le temps se gâte

À peine les enfants sont-ils sortis de la grotte qu'un cri de stupeur leur échappe. Le ciel est devenu d'un noir d'encre. Et l'océan, aussi noir que lui, déroule des vagues menaçantes, crêtées d'écume blanche.

Un éclair zèbre la nue, presque aussitôt suivi par un formidable coup de tonnerre.

— Nous aurions dû consulter le baromètre avant de sortir en mer ! s'écrie François. Quel âne je fais de n'y avoir pas pensé ! Je suis pourtant l'aîné et oncle Henri compte sur moi pour...

Un second éclair, doublé d'un autre coup de tonnerre, lui coupe la parole.

Au même instant, une vague énorme se brise sur un rocher voisin et éclabousse le jeune garçon de façon magistrale.

Claude, Mick et Annie sont trempés eux aussi. Là-dessus, une pluie diluvienne se met à tomber. L'orage se déchaîne dans toute son effrayante splendeur.

— Vite ! Tous au canot ! hurle Mick. Avance donc, Claude !

Mais Claude, pétrifiée, ne bouge pas. Elle regarde l'endroit où, quelque temps plus tôt, Mick a mouillé l'ancre du *Saute-Moutons.* Le canot n'est plus là !

— Il... il a rompu son amarre ! bégaie Mick, sidéré.

— Impossible ! affirme Claude. L'ancre était bien attachée et la corde solide... Ce serait un nouveau coup de nos adversaires que cela ne m'étonnerait pas ! Ils ont dû surveiller de loin nos mouvements. J'aurais dû laisser Dag à bord pour garder le canot !

— Nous ne l'aurions peut-être pas entendu aboyer, tu sais !

— En tout cas, déclare François, il nous est désormais impossible de rentrer, tant par la mer que par la plage. Si nous tentions de nager parmi ces vagues furieuses, le courant aurait tôt fait de nous drosser sur les récifs

alentour. Et le sentier qui longe le bas de la falaise est déjà recouvert d'eau.

— Il ne nous reste qu'une solution, dit Claude qui a recouvré son calme. Retournons dans la grotte et refaisons surface en passant par le boyau souterrain.

— Dommage qu'il n'y ait pas d'autre moyen ! soupire Mick. Car si Leblond et Lebrun nous voient sortir de la citerne, ils comprendront alors que nous avons retrouvé la piste du trésor !

Annie risque une suggestion :

— Nous pourrions peut-être attendre, dans le passage, que la mer soit redescendue..., dit-elle d'une voix angoissée.

— Tu rêves ! riposte Mick. Tu nous imagines grelottant pendant des heures avec nos vêtements mouillés !

— Ce boyau est notre seule chance ! soupire François, très alarmé. Il est même urgent de faire demi-tour. Si nous restons ici, nous risquons d'être assommés par les lames !

Les Cinq se hâtent donc de battre en retraite. Ils sont consternés. Claude et François surtout ! La première ne décolère pas d'avoir perdu son cher *Saute-Moutons*, et François se reproche son manque de prudence. Mick et Annie, eux, songent qu'en

sortant par la citerne ils risquent de rencontrer l'adversaire et de le renseigner – bien involontairement ! – du même coup.

— Dépêchez-vous ! crie François dans le fracas de la tempête. Dépêchez-vous ! L'eau monte de plus en plus vite. Nous allons avoir tout juste le temps d'atteindre le boyau. Je me demande même si nous y parviendrons ! Encore une fois, c'est notre unique chance !

Si le grand garçon se montre aussi inquiet, c'est qu'il a ses raisons. Lorsque Claude a découvert la grotte, celle-ci était vide et relativement sèche. L'intrépide fille a pu descendre le long de la paroi rocheuse intérieure, aller jeter un coup d'œil sur la plage, puis regrimper tant bien que mal...

Aujourd'hui, la situation est différente : il s'agit de se hisser jusqu'à l'ouverture haut perchée en s'agrippant à des pierres mouillées et glissantes. Et il y a pire : les flots agités battent maintenant les parois de la grotte avec tant de violence que les enfants ont peine à rester debout !

Une fois parvenus au-dessous de l'entrée du passage, François et Mick tentent en vain de faire la courte échelle. Les vagues détruisent chaque fois leur fragile équilibre.

À la fin, ils doivent renoncer à atteindre l'orifice.

Ils ont à présent de l'eau jusqu'à la poitrine. Annie, la plus petite, sera bientôt obligée de nager. Mais comment se maintenir à la surface de cette mer tumultueuse qui ne cesse d'envahir la grotte et de monter ?

— Nous ne nous en sortirons jamais ! murmure Mick, effrayé.

— Venez tous ! dit Claude. Gagnons le fond de la grotte, là où le sol se relève le plus. Nous pourrons y tenir un bon moment encore.

— Oui, mais après ? soupire François.

— Ensuite… nous verrons ! Parons au plus pressé !

Et, attrapant Dag qui s'épuise à surnager et qu'une vague menace d'entraîner, la vaillante Claude se dirige, non sans mal, vers l'endroit le plus reculé de la caverne. Le coin est particulièrement sombre. Or, l'eau de mer ayant noyé les piles des lampes électriques, les enfants n'ont plus rien pour s'éclairer.

— Il n'y a aucune issue de ce côté, dit Mick. Peut-être ferions-nous mieux de tenter une sortie vers la mer.

— Tu sais bien que ce serait une tentative sans espoir, réplique tristement François qui aide Annie à avancer. Les flots battent trop

furieusement la côte pour que nous ayons une seule chance de ne pas être jetés sur les récifs.

— Avancez ! Avancez ! jette Claude d'une voix pressante.

Elle ferme la marche avec Dagobert qu'elle porte dans ses bras... Bientôt, les Cinq se trouvent arrêtés par la paroi du fond.

Maintenant, ils n'ont plus dans l'eau que les pieds. Mais la marée continue à monter...

François regarde désespérément autour de lui.

— Regardez ! dit-il soudain. Il y a là-haut une espèce de corniche taillée à même le roc. Si nous pouvions l'atteindre, cela nous donnerait au moins quelques instants de répit.

— Essayons toujours ! réplique Claude. Ici, la paroi est à peine humide et nous pourrions grimper assez facilement.

Mais un problème se pose. Comment hisser Dag ? Mick a vite fait de trouver la solution. Une de ses manies est de transporter toujours sur lui un tas d'objets hétéroclites : canif, crayon, etc. Même quand il est en maillot de bain, il épingle à l'intérieur de son slip une poche en plastique contenant son inséparable bric-à-brac.

Il tire de sa poche une longue ficelle, mince mais résistante, dont il fixe une extrémité au collier de Dagobert.

— Quand nous serons là-haut, nous le hisserons ! déclare-t-il.

— Mais il va s'étrangler ! proteste Claude, inquiète.

— Il n'en aura pas le temps ! Disons qu'il passera quelques secondes pénibles, voilà tout ! Son sauvetage est à ce prix !

L'eau avance. Les garçons et Annie commencent leur escalade. Les uns aidant l'autre, ils finissent par se retrouver en sécurité sur la corniche. Claude a tenu à rester avec Dag pour l'élever à bout de bras quand Mick le hissera.

— Courage, mon chien ! lui dit-elle au moment de le faire monter. Ce sera vite fait !... Allez ! Vas-y, Mick !

Dag se retrouve en haut en un clin d'œil. Claude, agile comme un singe, a tôt fait de rejoindre les autres.

Maintenant, les Cinq se tiennent le dos au mur, et regardent la mer au-dessous d'eux.

— Dans combien de temps pensez-vous qu'elle nous atteindra ? demande Annie d'une toute petite voix.

— Oh ! Elle ne montera peut-être pas jusqu'ici ! répond François, désireux de rassurer sa jeune sœur.

Mick et Claude regardent au-dessus d'eux, se demandant s'il ne serait pas possible de

grimper encore plus haut... En ce moment précis, la pensée du trésor est loin d'eux. Ils ne songent plus qu'à leur salut.

Soudain, en se déplaçant sur l'étroite corniche, Claude manque de glisser. D'un geste machinal, elle se retient à un éperon rocheux qui fait saillie à portée de sa main. Alors, à l'effarement de tous, l'éperon se déplace. On entend un bruit curieux... et tout un pan de roche, pivotant sur lui-même, démasque une cavité en forme de porte, au-delà de laquelle s'ouvre un trou noir.

Revenus de leur surprise, les enfants n'osent comprendre ce que signifie leur découverte. Le trésor et leur liberté se trouvent-ils au bout de ce nouveau souterrain ?

Hésitants, ils se consultent les uns les autres...

chapitre 11

La grotte au trésor

— Entrons ! s'écrie Mick. L'eau monte !

— Doucement ! dit François. Assurons-nous d'abord que l'on peut manœuvrer ce bloc pivotant de l'intérieur du boyau !

Mick entre donc seul. Après avoir un peu tâtonné, il trouve une pierre en saillie et peut refermer l'orifice. Il rouvre la porte et, tout joyeux, fait signe aux autres de le rejoindre. Puis, pour la seconde fois, il referme l'ouverture.

— Et maintenant, en route !

— Vous avez remarqué ? dit Claude. Non seulement on peut avancer aisément mais il ne fait pas sombre ici.

— Je crois, dit François, que cela vient des lichens phosphorescents qui tapissent

les murs… Attention où tu mets les pieds, Annie ! Gare aux éboulis !

En fait, la marche est assez facile. Très vite, les Cinq débouchent dans une seconde caverne, entièrement souterraine celle-ci, mais qui reçoit le jour par des fissures pratiquées de biais dans la falaise et certainement insoupçonnables de l'extérieur.

Le sol de cette caverne, contrairement à celui de la première, est parfaitement horizontal. Et, au centre, les enfants, très émus, aperçoivent un gros coffre blindé.

— Le dessin ! murmure Claude. Voici le coffre ! Et la ligne horizontale qui indiquait un plan uni !… Nous avons déchiffré en entier le cryptogramme !

— Et trouvé le trésor ! s'écrie Mick, fou de joie. Il est dans le coffre, c'est évident !

Les jeunes détectives ont peine à croire à leur chance. C'est presque avec timidité qu'ils s'approchent du coffre, rouillé mais imposant qui, ils n'en doutent pas, contient des richesses ayant appartenu aux Templiers et cachées là par le loyal seigneur de Roquépine.

— Ouvrons vite ! souffle Annie.

Les ferrures sont tellement rouillées qu'elles ne résistent pas aux vigoureux efforts

des garçons et de Claude. Et, une fois le couvercle soulevé…

— Que c'est beau ! murmure Annie, extasiée.

C'est beau, en effet. Émerveillés, les quatre cousins contemplent le contenu du coffre : pièces d'or et d'argent, gemmes multicolores qui jettent mille feux, vaisselle d'or, objets d'argent et d'or finement ciselés, miroirs sertis de pierres précieuses, bijoux de toute sorte Leurs yeux éblouis n'arrivent pas à se lasser d'un tel spectacle. Leurs doigts caressent, presque avec respect, ces témoins à peine ternis d'un passé à la fois tragique et glorieux.

— Ainsi, nous avons bien retrouvé le trésor ! dit François.

Et, soudain, c'est une explosion de joie générale. Les enfants se mettent à sauter, danser, chanter, tandis que Dag, très excité, saute lui aussi en aboyant.

— M. Legallet va être riche !

— C'est Véronique et Thierry qui vont être contents !

— Et Leblond et Lebrun ! Ils vont en faire, une tête !

— Vivement que nous puissions sortir d'ici !

Quand la joie s'est un peu calmée, François en revient aux questions pratiques.

— En attendant, nous sommes condamnés à rester ici jusqu'à ce que la marée soit basse et le sentier de la plage à nouveau praticable.

— Bah ! riposte Claude, nous passerons le temps en faisant l'inventaire du trésor.

— L'ennuyeux, soupire Annie dont le bon petit cœur s'attriste, c'est qu'oncle Henri et tante Cécile doivent déjà s'inquiéter de notre absence et nous chercher partout.

— Nous ne pouvons pas l'empêcher, dit Mick, philosophe. Prenons donc notre mal en patience.

Lorsque, après avoir refermé l'entrée de la cachette au trésor, les jeunes détectives peuvent enfin regagner la plage, l'orage est terminé depuis longtemps et l'après-midi déjà bien avancé... Ils se mettent courageusement en route en dépit de leur fatigue et, après avoir suivi quelque temps le sentier du bas de la falaise, aperçoivent de loin un groupe de gens qui s'agitent autour d'un canot...

— Mais, s'écrie Claude qui a de bons yeux, on dirait mon *Saute-Moutons* !

Les enfants se mettent à courir. Comme ils approchent du groupe, ils reconnaissent la haute silhouette de M. Dorsel, en train de discuter avec un homme-grenouille. Il y a également là le brigadier de gendarmerie de Kernach et deux gendarmes.

— Papa ! Papa ! crie Claude. C'est nous !

M. Dorsel se retourne et aperçoit les Cinq. Il pâlit, rougit, puis tend les bras. Les quatre cousins lui sautent au cou.

— Ah ! mes enfants ! fait-il. Vous aviez disparu. Nous vous pensions noyés. Ton canot, Claude, a été trouvé voguant à la dérive… Tout le monde vous a cherchés en vain…

— Et nous sommes bien contents de vous retrouver sains et saufs ! ajoute le brigadier, épanoui. Mais que vous est-il arrivé, mes petits ?

Sans répondre, Claude court au *Saute-Moutons*, suit la portion de corde – un solide filin de nylon orange – qui reste attachée à l'avant du canot, et l'examine de près.

— Regardez ! dit-elle alors à son père et au brigadier. Vous ne l'aviez sans doute pas remarqué, mais cette corde a été tranchée, ou plutôt cisaillée avec un couteau. Quelqu'un, sachant que nous étions à terre, dans une grotte, nous a volontairement privés de notre embarcation !

Le brigadier lève les bras au ciel.

— Ce… ce n'est pas possible ! bégaie-t-il. Personne ne songerait à jouer un tour pareil…

— Personne ? répète Mick. Oh que si ! Deux personnes même ! MM. Frijou et Leleur, les pensionnaires de M. Legallet.

— Mais… pourquoi ? demande à son tour M. Dorsel.

— Parce que, explique Claude, nous étions, eux et nous, à la recherche du trésor de Roquépine et qu'ils voulaient nous empêcher de le découvrir.

— Mais ce trésor n'existe pas ! lance l'un des gendarmes. Ce n'est qu'une légende !

— Pas du tout ! déclare Annie de sa voix douce. Il existe bel et bien. La preuve… c'est que nous l'avons retrouvé !

Alors, au milieu des exclamations générales, les jeunes détectives font un bref résumé de leur incroyable aventure. Bref… car M. Dorsel les pousse déjà dans sa voiture.

— Rentrons vite à la maison pour rassurer ta mère, Claude ! Suivez-nous, messieurs ! Il nous faut tirer tout cela au clair.

Le retour aux *Mouettes* est rapide. En revoyant sa fille et ses neveux et nièce sains et saufs, Mme Dorsel croit devenir folle de joie. Elle a été si près de les croire perdus ! Les enfants, réchauffés par une bonne douche,

enfilent des vêtements secs et, tout en faisant honneur au copieux goûter que leur sert Maria, fournissent les détails de leur odyssée.

— Il va falloir, jeunes gens, dit le brigadier, que vous nous conduisiez à cette cache de la falaise. Il est urgent que nous mettions légalement le trésor à l'abri en attendant qu'il soit réparti entre son propriétaire et vous autres qui êtes ses « inventeurs », selon le terme consacré.

— Son propriétaire, c'est M. Legallet ! rappelle François. Le trésor se trouve enfoui dans le sous-sol de son domaine, puisqu'il possède tous les terrains en bordure de cette partie de la falaise.

Claude intervient.

— Il y a une chose qui semble plus pressée que d'aller chercher le trésor, explique-t-elle. C'est d'arrêter Leblond et Leb... je veux dire Frijou et Leleur. Ce sont des misérables.

— Certainement ! s'écrie Mick. Et ils méritent une punition exemplaire.

Le brigadier se gratte la tête.

— Hum ! fait-il. D'après ce que vous m'avez raconté, il n'y a contre eux que des présomptions mais pas l'ombre d'une preuve.

— On peut toujours les interroger ! suggère Annie avec une hardiesse qui ne lui est guère habituelle.

— Après tout, pourquoi pas ? dit le brigadier en souriant à la petite fille. Répondre à quelques questions ne leur fera pas de mal. On peut toujours prétexter une vérification d'identité. C'est une idée, ça !... Je vais tout de suite aux *Hautes-Roches*.

— Pouvons-nous vous accompagner ? demande François.

— Eh bien... Je ne peux pas vous interdire d'aller là-bas en même temps que nous, n'est-ce pas ?

M. Dorsel tient, lui aussi, à faire la connaissance des hommes que les enfants accusent si formellement. Il invite donc les Cinq à monter dans sa voiture qui démarre derrière celle des gendarmes.

Au moment où la petite troupe arrive à la ferme, Frijou et Leleur en sortent... À la vue des gendarmes, les deux hommes jettent des coups d'œil affolés autour d'eux. Cela intrigue le brigadier qui, d'emblée, leur demande leurs papiers.

— Heu..., dit Leleur, alias Lebrun. Nous ne les avons pas sur nous. Je... je vais les chercher...

Les deux compères font mine de s'éclipser, là-dessus. Mais Dag ne l'entend pas ainsi...

chapitre 12

Dagobert a le dernier mot

En retrouvant sur son chemin les hommes qui l'ont si fort maltraité, le chien a tout de suite cherché à leur sauter dessus. Claude, tout en l'approuvant secrètement, s'évertue à le retenir. Soudain, il lui échappe et bondit sur « Leblond », le plus proche de lui.

Mais l'homme est grand et Dag, qui vise sa gorge, calcule mal son coup : ses mâchoires se referment sur la poche de poitrine de son blouson de toile. Les crocs du chien, tirant sur l'étoffe, la déchirent : un flot de papiers se répand aux pieds du brigadier qui se baisse pour les ramasser.

À peine y a-t-il jeté un coup d'œil qu'il fait un signe à ses subordonnés. Ceux-ci encadrent les deux hommes.

— Ah, ah ! mes gaillards ! On voulait filer. C'est donc qu'on n'a pas la conscience tranquille ! Vous disiez vous appeler Frijou et Leleur !... Or, les papiers que voici prouvent que Frijou n'est pas votre vrai nom... Voyons ceux de votre camarade !

Il tend la main : un des gendarmes lui passe les papiers qu'il vient d'extraire de la poche de « Lebrun ».

— Ah, ah ! répète le brigadier. Et vous non plus, vous ne vous appelez pas Leleur ! En revanche, les noms que je lis ici correspondent à ceux que nous signalc certaine circulaire reçue à la gendarmerie aujourd'hui même, et vous dénonçant comme des escrocs recherchés par la police. En prison, mes gaillards !

Mick ne peut s'empêcher de s'écrier :

— Je savais bien que c'étaient des bandits !

— Et dangereux, encore ! renchérit Claude. Ce n'est pas leur faute si nous sommes encore vivants !

Et elle formule nettement ce dont elle les accuse.

— Cette gamine est folle ! s'écrie Lebrun en jouant l'indignation. Nous ! Détacher le câble de son ancre ! Quelle sottise ! Et nous n'étions même pas au courant de ce cryptogramme dont elle parle !

— Ah ! Vraiment ? dit le brigadier en agitant un des feuillets qu'il avait ramassés. Alors, comment se fait-il que j'en trouve une copie parmi vos papiers ?

— En tout cas, nous ne sommes pour rien dans le sabotage du canot !

Mais il est dit que ce mensonge-là sera réfuté comme les autres... Dag, à force de gigoter, vient d'échapper de nouveau à Claude. En le voyant s'élancer vers lui, Lebrun tire vivement un couteau de sa poche et l'ouvre.

— Si ce chien m'attaque, je le tue !

Claude n'a que le temps de crier « Dag ! Arrête ! »... Le chien obéit... juste à temps ! Alors, Claude pousse un cri de victoire. Elle vient de remarquer quelque chose...

— Son couteau, brigadier ! Regardez-le de près ! s'écrie-t-elle.

Le brigadier arrache son arme à Lebrun.

— Regardez ! répète Claude. C'est un couteau pliant. Voyez-vous ce brin de nylon orange pris dans l'articulation de la lame ? C'est un fil arraché à mon cordon d'ancre. N'est-ce pas une preuve, cela ?

Perdant la tête, Lebrun avoue... Le compte des deux gredins est bon. Les gendarmes les emmènent...

Pendant ce temps, la famille Legallet, mise au courant de la fortune qui lui arrive si à propos, ne sait que faire pour exprimer aux Cinq sa reconnaissance. Thierry et Véronique sont aux anges !

Le retour aux *Mouettes* est triomphal. Mme Dorsel applaudit vivement à l'heureux dénouement du « mystère de Roquépine » et félicite de tout cœur les enfants.

— Mais sais-tu le plus drôle, maman ? s'écrie Claude en conclusion. Ces deux hommes que j'avais baptisés Leblond et Lebrun… Eh bien, l'un d'eux s'appelle bien réellement Leblond.

— Et c'était le brun ! achève Mick dans un éclat de rire.

Quel nouveau mystère le Club des Cinq devra-t-il résoudre ?

Pour le savoir, regarde vite la page suivante !

● ● ● ● ● ● ● ● ● ● ●

Claude, Dagobert et les autres sont prêts à mener l'enquête

Dans le prochain tome de la série : **Les Cinq en croisière**

Cet été, les Cinq embarquent pour une croisière en Méditerranée ! À bord du bateau, ils se lient d'amitié avec un garçon de leur âge. Mais au bout de quelques jours, le jeune passager disparaît... A-t-il été enlevé ? S'est-il noyé ? Pour Claude et ses cousins, une seule certitude : il faut le retrouver !

Regarde la page suivante pour découvrir un extrait de cette nouvelle aventure !

chapitre 1

Première escale

Penchés au-dessus de la lisse, Claude et ses cousins regardent les vagues bleues, crêtées d'écume blanche, que déchire l'étrave du paquebot. Ils se tiennent à la proue du San Silvio avec, à tribord, le grand large et, à bâbord, la côte méditerranéenne française qui défile lentement.

— C'est chouette, hein ? soupire béatement Mick.

— Je pense bien ! acquiesce François avec chaleur. Oncle Henri a été rudement chic de nous offrir cette croisière de Pâques !

Claude, elle aussi, a été folle de joie lorsque son père leur a proposé ce voyage en mer. Elle se réjouit des escales prévues en

Italie et en Grèce, mais regrette cependant que ses parents ne puissent partir avec eux : ils ont dû rester à Kernach, où d'importants travaux retiennent M. Dorsel.

— Mais ça ne fait rien, mes enfants, a déclaré la mère de Claude. Vous ne voyagerez pas seuls ! Sylvie vous accompagnera !

Sylvie Gerbay est une amie de la famille. Âgée de vingt-cinq ans à peine, elle est professeur d'anglais, a l'habitude des croisières et ne demande pas mieux que de convoyer les Cinq.

Car Dag, lui aussi, est du voyage !

Claude, du reste, n'aurait jamais consenti à s'embarquer sans lui. C'est une chance que le San Silvio accepte les animaux à son bord.

— Notre première escale est Gênes, n'est-ce pas ? demande Annie de sa voix douce.

— Oui, répond Claude. Et Sylvie a promis de nous faire visiter…

Elle s'interrompt. Sylvie elle-même vient de surgir et, agitant joyeusement les bras, crie dans leur direction :

— À table ! C'est l'heure du déjeuner !

— Ouah ! approuve – bon premier – Dagobert.

— Tu as de la chance d'être un chien bien élevé, lui fait remarquer Annie. Sans quoi, la salle à manger te serait interdite !

Le petit groupe gagne la longue coursive aboutissant au « grill-room » et prend place à la table qui lui est réservée. Sagement, Dago s'assoit près de Claude. Soudain, deux passagers entrent dans la pièce ; un homme grand et gros, très brun, rasé de près, aux traits mous et empâtés, accompagné d'un jeune garçon, brun lui aussi, qui doit avoir à peu près l'âge de Mick et de Claude : onze ans.

— C'est amusant ! chuchote Mick à l'oreille de sa cousine. Il nous ressemble un peu !

À Marseille, au moment de l'embarquement, Claude a déjà remarqué ce couple qui lui a paru étrange : l'homme, sous une apparence de bonhomie, dissimule quelque chose de volontaire et de brutal. Le garçon, en revanche, paraît doux et effacé.

— On dirait un minuscule youyou à la remorque d'un énorme cuirassé..., chuchote-t-elle en retour à Mick.

François et Annie, qui ont entendu, lèvent les yeux. Mais déjà l'homme et l'enfant s'installent à une table de deux couverts, un peu à l'écart des autres.

— Sans doute ne veulent-ils frayer avec personne ! murmure François.

— De qui parlez-vous ? demande Sylvie Gerbay en attaquant les hors-d'œuvre.

— De ces deux passagers..., explique Claude en les désignant d'un geste discret.

— Oh ! Ces deux-là ?... J'ignore leur nom, mais il s'agit de l'oncle et du neveu.

— Comment le savez-vous, Sylvie ? questionne Annie.

— Eh bien, ils étaient déjà avec nous dans l'avion Paris-Marseille. J'ai entendu l'homme parler à l'hôtesse de l'air. Puis il a posé une question au garçon qui a répondu : « Oui, mon oncle ! »

— Ils parlaient français ? s'exclame François. On dirait pourtant des étrangers !

— Peut-être sont-ils étrangers, en effet, mais parlaient-ils français parce que l'hôtesse était française ?...

— Ils savent donc notre langue, murmure Claude d'un air satisfait. C'est une information à retenir.

Mick se met à rire.

— Tu t'intéresses à ces gens ? Flairerais-tu un mystère, par hasard ? Ça ne m'étonnerait pas ! Tu as le chic pour les dénicher.

— Non, monsieur ! riposte Claude, vexée du ton ironique de son cousin. Je ne flaire aucun mystère. Mais je trouve ces deux personnages bizarres dans leur comportement... et je prends plaisir à les observer.

— Ah, ah ! Mlle Dorsel étudiant le genre humain ! chantonne Mick, taquin.

Claude lui décoche un coup de pied sous la table. Dag, qui se trouve sur le trajet, pousse un « Ouah ! » de douloureux reproche. François et Annie éclatent de rire. Sylvie se met à gronder un peu. Un serveur s'approche avec le plat de résistance. Le couple « oncle-neveu » est oublié !

Après le déjeuner, Sylvie passe au salon où l'on donne un concert. Les quatre cousins, désireux de rester au grand air, montent sur le pont-promenade pour jouer au ping-pong. Dag se couche sous la table et commence à ronfler sans vergogne.

La partie bat son plein quand une porte s'ouvre tout près des Cinq, livrant passage à l'homme brun et à son neveu. Surprise, Annie manque une balle, qui rebondit sur le pont et manque de s'envoler par-dessus bord. Mais déjà le jeune garçon s'est élancé Il cueille la balle fugitive et, avec un timide sourire, la rend à Annie.

— Merci !... murmure la fillette.

Elle va ajouter quelques mots aimables mais n'en a pas le temps. L'homme empoigne son neveu par l'épaule, le fait vivement pivoter sur lui-même et, sans un regard aux enfants, l'entraîne loin du petit groupe. En même temps, il semble lui adresser de vifs reproches en une langue aux consonances rudes.

— Eh bien ! Il est aimable, le tonton ! commente Mick, goguenard.

— Quelle langue parle-t-il, François ? Le sais-tu ? demande Claude, curieuse.

— C'est peut-être du grec… ou du turc !

— Je savais bien qu'ils n'étaient pas français !

— Je regrette d'avoir fait gronder ce garçon ! soupire Annie, qui a l'âme sensible.

De loin, les enfants voient le gros homme déplier deux chaises de pont et, les ayant tirées à l'écart, s'installer dessus en compagnie de son neveu.

— Le pauvre ! murmure François. Il n'a pas l'air de s'amuser !

— Sûr ! réplique Mick. Il ne respire pas la joie de vivre… Tout le contraire de nous, en somme !

— Nous pourrions l'inviter à se joindre à nous ? suggère Annie.

— Surtout pas ! jette Claude. Le « tonton » t'enverrait promener. Il ne tient pas à voir son neveu nous fréquenter, c'est visible.

— Ah, bon !… mais je me demande bien pourquoi ?

Claude aussi se le demande. Au fond, Mick a raison de la traiter de « dénicheuse de mystères ». Certes, elle a une imagination débordante qui, trop souvent, la porte à dramatiser les situations. Mais elle ne peut, malgré tout, s'empêcher de trouver suspectes les façons de faire du gros homme. Et elle est bien décidée à le surveiller sans en avoir l'air

— J'ai l'impression qu'il étouffe son neveu. Ce doit être une sorte de « bourreau d'enfants »... coupable de cruauté mentale. À nous deux, mon bonhomme !

Là-dessus, Claude se remet à jouer au ping-pong !

Le lendemain, au réveil, Claude et Annie découvrent que le San Silvio a stoppé ses machines. À travers leur hublot, elles aperçoivent les quais d'un grand port. Les garçons et Sylvie viennent tambouriner à la porte de leur cabine.

— Levez-vous, paresseuses ! Rendez-vous dans la salle à manger. Sitôt après le petit déjeuner, nous visitons Gênes !

chapitre 2

Cabine 236

Le repas matinal est vite expédié. Puis les Cinq, escortés du jeune professeur d'anglais, descendent la passerelle. Sylvie, qui connaît la ville, fait signe à un taxi et expose au chauffeur, plan en main, le programme de la visite projetée On se met en route. Pour commencer, la jeune fille fait admirer aux enfants ce que l'on prétend avoir été la maison de Christophe Colomb. Puis c'est une agréable flânerie à travers de pittoresques ruelles et le long de parcs fleuris.

— Sylvie, dit François, vous êtes épatante. Grâce à vous, en un minimum de temps, nous voyons le maximum de choses.

— Mieux qu'un guide officiel ! renchérit Mick.

— Trêve de compliments ! coupe Sylvie en riant. Maintenant, nous allons visiter le plus vaste et le plus extraordinaire des cimetières : le fameux Campo Santo de Gênes, où vous verrez des monuments admirables et des arbres centenaires.

La majesté des immenses jardins, jalonnés de tombes, qui couvrent plusieurs collines, fait le plus vif effet sur les jeunes voyageurs. Dago lui-même semble impressionné et trotte en silence au bout de sa laisse.

Soudain, il émet un bref jappement. Au détour d'une allée, tout près de la sortie, un homme corpulent vient d'apparaître, suivi d'un enfant brun. Les quatre cousins les reconnaissent aussitôt : ce sont les énigmatiques passagers du San Silvio. Jamais le jeune garçon n'a eu l'air aussi accablé.

Pour le coup, oubliant sa timidité naturelle, Annie fait un pas en avant.

— Bonjour ! dit-elle gentiment. Ces jardins sont un peu tristes, n'est-ce pas ? Mais les fleurs et les arbres bien beaux !...

Le jeune garçon prend un air apeuré, paraît hésiter à répondre, puis lève craintivement les yeux sur son oncle.

— Très beaux, en effet ! répond celui-ci sans même regarder Annie.

Puis il pousse son neveu devant lui et s'éloigne en le grondant en un langage rude, comme il l'a fait la veille.

— Quel ours ! s'exclame Mick.

— Chut ! fait Sylvie. Il pourrait t'entendre.

— Et puis après ! Je m'en moque bien !

Mick et Claude sont outrés. Annie, elle, trop sensible, sent les larmes lui monter aux yeux.

— Venez ! dit François. J'offre une glace à tout le monde !

Ils retrouvent leur taxi qui les ramène au port. La promenade – en dépit de la glace dégustée dans un pittoresque petit café – se termine moins gaiement qu'elle n'a commencé.

Les Cinq ne revoient pas le garçon brun jusqu'au repas du soir. Comme les autres fois, l'oncle et le neveu mangent à l'écart, à leur table personnelle.

Annie, qui leur tourne à moitié le dos, leur jette souvent un coup d'œil par-dessus son épaule.

— Reste donc tranquille, Annie ! dit François à sa petite sœur. Tu vas te faire remarquer.

Annie rougit et pique du nez dans son assiette.

— Il me fait pitié ! bredouille-t-elle.

— Qui ? Ce gros homme à la peau huileuse ? lance Claude, taquine.

— Bien sûr que non ! Son neveu ! Il paraît tellement malheureux !

Mick coule un regard en direction des deux étrangers.

— Ça, c'est vrai ! murmure-t-il. Ce garçon nous envoie de véritables appels de détresse avec ses yeux.

— Des yeux qui crient au secours ! renchérit Claude, lugubre.

Pour le coup, Sylvie éclate de rire.

— Eh bien, mes enfants ! Vous en avez, une imagination ! Heureusement que ce pauvre homme est trop loin pour vous entendre. Je vous accorde que son physique ne le rend guère sympathique, mais de là à faire de lui un bourreau d'enfants et de son neveu une malheureuse victime, il y a de la marge !

François sourit en se versant un verre d'orangeade.

— Bah ! fait-il. Vous connaissez Claude et Mick, Sylvie ! Toujours prêts à dramatiser les choses !

— Tout de même ! proteste Annie qui est pourtant, en général, de l'avis de son grand frère. Tout de même ! Cet affreux bonhomme empêche son neveu de jouer avec nous et il le gronde à tout propos.

— Ça, nous n'en savons rien ! déclare François… Et pour la bonne raison que nous ne comprenons pas ce qu'il dit !

— Nous ne connaissons même pas le nom de ces gens, fait remarquer Mick.

— Il n'y a qu'à demander au maître d'hôtel ! s'écrie Claude toujours prête à l'action.

Déjà, elle fait mine de se lever, quand Sylvie l'arrête d'un geste impératif.

— Non ! dit fermement la jeune fille. Je déteste l'indiscrétion… et cela serait indiscret.

Claude se rassoit, mécontente. Mais, comme on sert le dessert, elle oublie bien vite sa déconvenue pour se régaler du gâteau du chef…

Avant de se coucher, les enfants décident une partie de cache-cache. La plupart des passagers dansent au salon, lisent dans la bibliothèque ou prennent l'air sur le pont. Le labyrinthe des coursives désertes est un lieu idéal de poursuite (de l'avis des Cinq, du moins)

Et la partie commence À un certain moment, pour échapper à François qui les cherche, Mick et Claude, galopant de compagnie, ont juste le temps de tourner le coin d'un couloir et de s'engouffrer avec Dag dans un placard à balais Le grand garçon passe sans les voir et disparaît au tournant suivant.

Riant tout bas, les deux cousins s'apprêtent à sortir de leur cachette quand ils aperçoivent un passager qui s'avance dans leur direction : le gros homme brun ! Par l'entrebâillement de la porte du placard, ils le voient se diriger vers une cabine proche et y entrer. Bientôt, un bruit de voix s'élève à l'intérieur.

— Vite ! chuchote Claude à Mick.

Et, sans vergogne, elle s'approche de la cabine. Malheureusement pour elle, oncle et neveu s'expriment dans une langue inintelligible pour elle.

— Nous savons du moins le numéro de leur cabine ! lui souffle Mick pour la consoler. Le 236 !

Pour connaître la date de parution de ce tome,
inscris-toi vite à la newsletter du site :
www.bibliotheque-rose.com

Les as-tu tous lus ?

1. Le Club des Cinq
et le trésor de l'île

2. Le Club des Cinq
et le passage secret

3. Le Club des Cinq
contre-attaque

4. Le Club des Cinq
en vacances

5. Le Club des Ci
en péril

6. Le Club des Cinq
et le cirque de l'Étoile

7. Le Club des Cinq
en randonnée

8. Le Club des Cinq
pris au piège

9. Le Club des Cinq
aux sports d'hiver

10. Le Club des
va camper

11. Le Club des Cinq
au bord de la mer

12. Le Club des Cinq
et le château de Mauclerc

13. Le Club des Cinq
joue et gagne

14. La locomotive
du Club des Cinq

15. Enlèvemen
au Club des Ci

6. Le Club des Cinq
t la maison hantée

17. Le Club des Cinq
et les papillons

18. Le Club des Cinq et
le coffre aux merveilles

19. La boussole
du Club des Cinq

20. Le Club des Cinq e
le secret du vieux puits

1. Le Club des Cinq
n embuscade

22. Les Cinq sont
les plus forts

23. Les Cinq au cap
des Tempêtes

24. Les Cinq mènent
l'enquête

25. Les Cinq à la
télévision

6. Les Cinq et les
rates du ciel

27. Les Cinq contre
le Masque Noir

28. Les Cinq et
le Galion d'or

29. Les Cinq et
la statue inca

30. Les Cinq se
mettent en quatre

Les Cinq et la fortune
Saint-Maur

32. Les Cinq
et le rayon Z

33. Les Cinq vendent
la peau de l'ours

34. Les Cinq
et le portrait volé

35. Les Cinq
et le rubis d'Akbar

Tu aimes les Cinq ?
Alors découvre vite le premier tome des Six Compagnons !

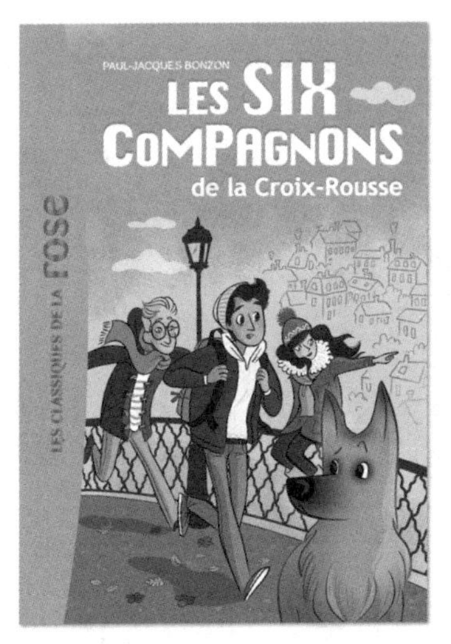

Les Six Compagnons de la Croix-Rousse

Pauvre Tidou ! Il doit quitter son cher village de Provence pour s'installer avec ses parents à Lyon. Pire : son père lui interdit d'emmener Kafi, son chien adoré ! Heureusement, dès la rentrée, il fait la connaissance des Compagnons de la Croix-Rousse, et la bande est bien décidée à l'aider. Mais ce n'est pas si simple de faire venir un chien-loup en secret... Et surtout, pas sans risques...

Découvre les autres Classiques de la Bibliothèque Rose !

Fantômette

Les exploits de Fantômette

Fantômette et le trésor du pharaon

Fantômette et l'île de la sorcière

Fantômette et son prince

Les sept Fantômettes

Fantômette et la maison hantée

antômette contre le géant

Fantômette
et le Masque d'Argent

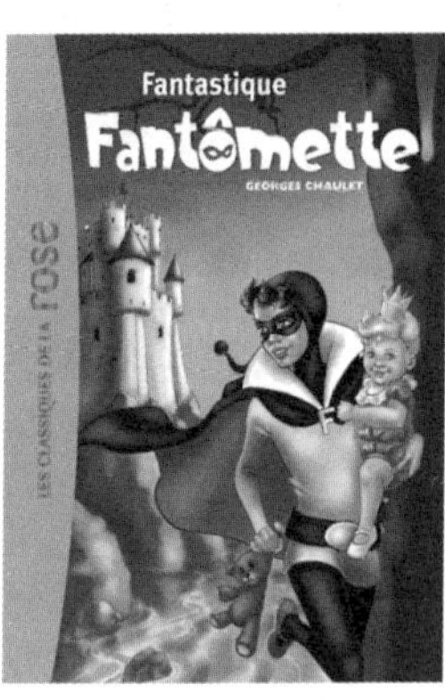

Fantastique Fantômette

Fantômette
et le Dragon d'or

Hors-série
Les secrets de Fantômette

Le Clan des Sept

Le Clan des Sept va au cirque

Le Clan des Sept à la Grange-aux-Loups

Le Clan des Sept et les bonshommes de neige

Le Clan des Sept et le mystère de la caverne

Le Clan des Sept à la rescousse

Malory School

La rentrée

La tempête

Un pur-sang en danger

La fête secrète

L'Étalon Noir

1. L'Étalon Noir

2. Le retour de l'Étalon Noir

3. Le ranch de l'Étalon Noir

4. Le fils de l'Étalon Noir

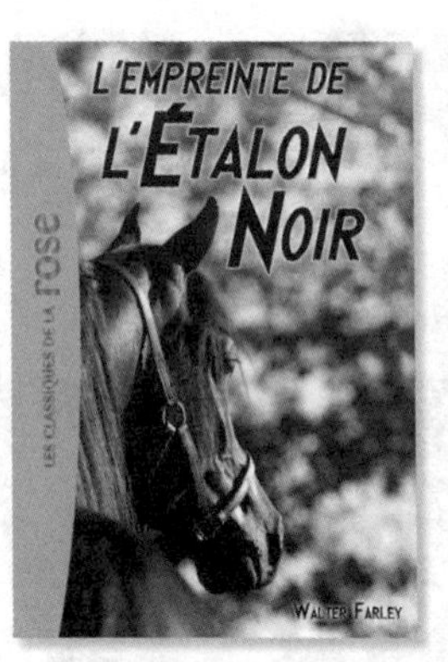

5. L'empreinte de l'Étalon Noir

6. La révolte de l'Étalon Noir

7. Sur les traces de l'Étalon Noir

8. Le prestige de l'Étalon Noir

9. Le secret de l'Étalon Noir

10. Flamme, cheval sauvage

11. Flamme et les pur-sang

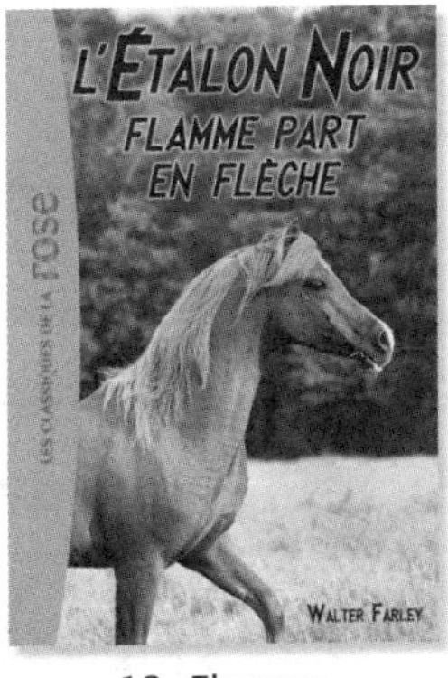

12. Flamme part en flèche

Alice

Alice et le chandelier

Alice et les faux-monnayeurs

Alice et les diamants

Alice et le diadème

Alice au ranch

Alice et la pantoufle d'hermine

Alice au bal masqué

Alice et le violon tzigane

Alice et le carnet vert

Alice et le médaillon d'or

Alice chercheuse d'or

Alice écuyère

Alice à Venise

Alice et le cheval volé

Alice au manoir hanté

Alice chez le grand couturier

Table

PAPIER À BASE DE
FIBRES CERTIFIÉES

hachette s'engage pour l'environnement en réduisant l'empreinte carbone de ses livres. Celle de cet exemplaire est de :
500 g éq. CO_2
Rendez-vous sur
www.hachette-durable.fr

Photogravure Nord Compo - Villeneuve d'Ascq

Imprimé en Roumanie par G. Canale & C. S.A.
Dépôt légal : janvier 2014
Achevé d'imprimer : janvier 2014
20.4416.2/01 – ISBN 978-2-01-204416-6
Loi n° 49956 du 16 juillet 1949
sur les publications destinées à la jeunesse

I love labibliothèque

ROSE